中华人民共和国国家标准

核电厂总平面及运输设计规范

GB/T 50294-2014

☆

中国计划出版社出版

网址：www.jhpress.com

地址：北京市西城区木樨地北里甲 11 号国宏大厦 C 座 3 层

邮政编码：100038　电话：(010) 63906433（发行部）

新华书店北京发行所发行

北京市科星印刷有限责任公司印刷

850mm×1168mm　1/32　4.75 印张　121 千字

2015 年 5 月第 1 版　2015 年 5 月第 1 次印刷

☆

统一书号：1580242·625

定价：29.00 元

中华人民共和国国家标准

核电厂总平面及运输设计规范

Design code for general plan and transportation
of nuclear power plants

GB/T 50294-2014

主编部门：中 国 核 工 业 集 团 公 司
批准部门：中华人民共和国住房和城乡建设部
施行日期：2 0 1 5 年 8 月 1 日

中国计划出版社

2014 北 京

中华人民共和国住房和城乡建设部公告

第 646 号

住房城乡建设部关于发布国家标准
《核电厂总平面及运输设计规范》的公告

现批准《核电厂总平面及运输设计规范》为国家标准,编号为 GB/T 50294—2014,自 2015 年 8 月 1 日起实施。原国家标准《核电厂总平面及运输设计规范》GB/T 50294—1999 同时废止。

本规范由我部标准定额研究所组织中国计划出版社出版发行。

中华人民共和国住房和城乡建设部
2014 年 12 月 2 日

前　言

根据住房和城乡建设部《关于印发〈2009 年工程建设标准规范制订、修订计划〉的通知》（建标〔2009〕88 号）的要求，由中国核电工程有限公司会同有关单位编制而成。

规范编制组经广泛调查研究，认真总结我国实践经验，参考有关国际标准和国外先进标准，并在广泛征求意见的基础上，修订本规范。

本规范共分 10 章和 3 个附录，主要技术内容包括：总则、术语、厂址选择、总体规划、总平面布置、竖向布置、管线综合布置、运输、绿化、主要技术经济指标等。

本规范修订的主要技术内容：

1. 增加厂址选择和实物保护术语；

2. 增加节约、集约用地规定和控制指标；

3. 对总体规划进行了修改，增加一般规定、防护距离、交通运输和施工区的相关规定；

4. 增加核电厂建筑物、构筑物防火规定和核电厂各建筑物、构筑物的最小间距表；

5. 增加厂区内架空电力线路与建筑物、构筑物、道路、铁路等的最小距离的规定；

6. 对绿化一般规定进行了修改；

7. 对主要技术经济指标进行了修改，增加厂址技术经济指标表和厂区总平面技术经济指标表。

本规范由住房和城乡建设部负责管理，由中国核工业集团公司负责日常管理，由中国核电工程有限公司负责具体技术内容的解释。执行过程中如有意见或建议，请寄送中国核电工程有限公司科技与国际合作部(地址:北京市海淀区西三环北路 117 号,邮政编码:100840)。

本规范主编单位、参编单位、主要起草人和主要审查人：

主 编 单 位：中国核电工程有限公司

参 编 单 位：广东省电力设计研究院

主要起草人：杜建军　郑权利　路　清　吴德成　程　婕
　　　　　　　白　凯　张世浪　雷　达　李新凯　刘　巍
　　　　　　　陈　胤

主要审查人：郭永顺　张超琦　贾　成　翟贵华　杨铭山
　　　　　　　刘开华　杜巧敏

目　　次

Contents

1 总 则

1.0.1 为贯彻国家有关民用核设施安全第一的方针和国家基本建设的政策,遵循国家有关核电厂建设的法律、法规,统一核电厂总平面及运输设计的设计原则和技术要求,做到安全可靠、技术先进、布置合理,制定本规范。

1.0.2 本规范适用于新建、扩建核电厂的总平面及运输设计。

1.0.3 核电厂总平面及运输设计,应贯彻节约、集约用地的原则,因地制宜、布置紧凑、分区合理,提高土地利用效率。

1.0.4 核电厂总平面设计,应进行多方案技术经济比较,并应择优确定设计方案。

1.0.5 扩建工程的总平面设计,应结合原有总平面布置、生产系统和运行管理等方面特点,全面考虑,统一协调。

1.0.6 核电厂总平面及运输设计,除应符合本规范外,尚应符合国家现行有关标准的规定。

2 术 语

2.0.1 厂址选择 siting

为核电厂选择合适厂址的过程,包括针对有关设计基准的评定。

2.0.2 外部人为因素 external human factors

在核电厂外由人工形成的搬运、加工、运输危险品,如易燃、易爆、有腐蚀性、有毒性以及有放射性物质的设施,一旦发生事故可能对核电厂造成危害的因素。

2.0.3 外部人为事件 external human induced events

由外部人为因素造成的事件。

2.0.4 应急计划区 emergency planning zone

为在核电厂发生事故时能及时有效采取保护公众的防护行动,在核电厂周围建立并制订了应急计划和做好应急准备的区域。

2.0.5 烟羽应急计划区 plume emergency planning zone

针对烟羽照射途径(烟羽浸没外照射、吸入内照射和地面沉积外照射)而建立的应急计划区。

2.0.6 规划限制区 planning restricted area

由省级人民政府确认的与非居住区直接相邻的区域。规划限制区内必须限制人口的机械增长,对该区域内的新建和扩建的项目应加以引导或限制,以考虑事故应急状态下采取适当防护措施的可能性。

2.0.7 非居住区 exclusion area

反应堆周围一定范围内的区域,该区域内严禁有常住居民,由核电厂的营运单位对这一区域行使有效控制,包括任何个人和财产从该区域撤离;公路、铁路、水路可以穿越该区域,但不得干扰核电厂的正常运行;在事故情况下,可以做出适当和有效的安排,管制交通,以保证工作人员和居民的安全。在非居住区内,与核电厂无关的活动,只要不产生影响核电厂正常运行和危及居民健康与安全是允许的。

2.0.8　实物保护　physical protection

对核电厂的重要设备和材料实施保卫,使其在任何情况下,重要设备遭受破坏和核材料丢失的危险减至最小。

2.0.9　设计基准　design basis

在核电厂的设计过程中根据既定标准明确考虑的各种工况和事件,以便该核电厂通过安全系统的计划运行能够经受住这些工况和事件而不超过管理限值。

2.0.10　厂址　site area

具有确定的边界,在核电厂管理人员有效控制下的核电厂所在区域。

2.0.11　多堆厂址　multi-reactor site

一个厂址有两个以上反应堆且各反应堆之间的距离小于5km 的核电厂厂址。

2.0.12　核电厂　nuclear power plant

使用核反应堆发电的任何厂、站,包括一个或几个反应堆,以及由于安全需要和产生热或电能所必需的全部系统、设施和建筑物、构筑物。

2.0.13　核电机组　nuclear power unit

由反应堆及其配套的汽轮发电机组以及为维持它们正常运行和保证安全所需的系统和设施组成的基本发电单元。

2.0.14　核岛　nuclear island

核供汽系统及有关系统、部件和建筑物(通常包括容纳核供汽系统的反应堆厂房、燃料厂房和核辅助厂房等)的统称。

2.0.15　常规岛　conventional island

用于布置汽轮发电机组的汽轮发电机厂房及其辅助设备的统

称(通常包括汽轮发电机厂房、主变压器、辅助变压器平台等)。

2.0.16 安全重要建筑物、构筑物 structures important to safety

属于某一安全组合的一部分和/或其失效或故障可能导致对厂区人员或公众的辐射照射的构筑物。

2.0.17 辅助核设施 auxiliary nuclear facilities

核电厂除核岛以外其他处理、贮存有放射性物质的厂房、库房和贮罐等设施的统称。

2.0.18 控制区 controlled access area

任何采用临时措施或永久屏障设定的、具有明显界线的、出入受到控制的区域,它能隔离开在该区域内的核材料、设备和人员。

2.0.19 保护区 protected area

始终受到警卫或电子装置严格监控的区域,其周界具有报警监视设备及完整可靠的实体屏障,出入口受到人防和技防措施的严格控制。

2.0.20 要害区 vital area

处于保护区内,存有设备、系统、装置或核材料的区域,若遭到破坏,就可能直接或间接地导致不可接受的放射性后果。

3 厂 址 选 择

3.1 一 般 规 定

3.1.1 厂址选择应符合国家能源政策、国家核电中长期发展规划和国家核安全规划,按照国家核安全法规和核电建设前期工作的规定进行。

3.1.2 厂址选择阶段划分应按初步可行性研究阶段和可行性研究阶段开展工作。初步可行性研究工作前期宜开展厂址普选工作,筛选推荐出 2 个或 2 个以上可能厂址;初步可行性研究阶段应明确提出优先候选厂址和备选厂址;可行性研究阶段应排除厂址颠覆性因素,研究确定厂址相关设计基准。

新建工程、超规划容量(台数、容量)扩建工程均应开展初步可行性研究工作;在原审定规划容量内扩建的工程,可直接开展可行性研究工作。

3.1.3 厂址选择的过程中应考虑与厂址所在区域的城镇或工业发展总体规划、土地利用总体规划、水域环境功能区划之间的相容性,靠近电力负荷中心和水源充足地区,应避开能动断层、人口密度高及饮用水水源保护区、自然保护区、风景名胜区等环境敏感区。

3.1.4 厂址选择应调查研究厂址地区电网结构、电力负荷、厂址条件(地形、地震、地质、水文、气象、交通运输、大气弥散和水体弥散)、厂址环境(人口分布、工农业生产情况及人为外部事件),应提出工程建设方案(建设用地、供水、大件运输、电力出线、占地拆迁、防洪排涝、对外协作和施工条件),并应对厂址进行技术经济综合比较,按相对优劣条件进行厂址排序。

3.1.5 厂址选择应考虑核电厂设置非居住区和规划限制区的要

求,综合评价该范围内的土地占用、人口搬迁,以及厂址环境、交通、地方区域规划和经济发展等方面对厂址优劣条件的影响。

3.1.6 厂址选择应合理规划厂址工程用地,满足核电厂规划容量建设所需的厂区、厂外设施和施工临建设施的用地规模,并应符合核电厂工程建设用地指标的有关规定。

3.1.7 选址时应符合国家有关工程建设土地利用的有关规定,应节约用地,应充分利用建设用地,宜利用未利用地,不占或少占农用地。

3.1.8 厂址不宜占用铁路、公路、引水和排水干渠、泄洪区、工程管网干线等现有设施,并应少拆迁民房,减少人口搬迁。

3.1.9 厂址场地应具备均匀、稳定的地质条件,地基应具有足够的承载力。

3.1.10 厂址防洪应考虑核电厂必需抵御的设计基准洪水。设计基准洪水组合事件应符合表 3.1.10 的规定。

表 3.1.10 设计基准洪水组合事件

核电厂类别	洪水组合事件
滨海核电厂	天文潮高潮位、海平面异常、可能最大风暴潮增水、假潮增水、海啸增水、波浪影响和其他因素引起的洪水的可能最大组合洪水
滨河核电厂	可能最大洪水、溃坝洪水、内涝洪水、湖涌增水、风浪影响和其他因素引起的洪水的可能最大组合洪水

3.1.11 厂址应具有充足、可靠、符合生产和生活需要的水源,且用水应符合当地水资源规划要求。

3.1.12 厂址宜位于附近城镇或居民区常年最小风频的上风侧。

3.1.13 厂址宜位于交通干线附近或引接专用线短捷、经济的地区,或靠近有条件建造大件码头的地区,应具备大件运输的条件。

3.1.14 厂址的地形应有利于厂房布置、大气弥散、交通联系、场地排水和减少土石方等。

3.1.15 厂址地下水径流途径内不宜存在居民或工业集中取水点。

3.1.16 应充分考虑电厂出线条件,并应按发电厂接入系统的规划要求,留有足够的出线走廊。

3.1.17 厂址应有利于同邻近工业企业和依托城镇在生产、交通运输、动力公用、维修、综合利用、发展循环经济和生活设施等方面的协作。

3.1.18 厂址不宜选在下列地段:

1 主要的农、牧、渔养殖区;

2 饮用水源保护区;

3 有开采价值矿藏的矿床区;

4 历史文物古迹保护区;

5 国家级的风景区及森林和自然保护区;

6 重要军事设施区及周边。

3.2 核安全准则

3.2.1 核电厂厂址选择应遵守保护公众和环境免受放射性事故释放所引起的危害,同时对于核设施正常运行状态下的放射性物质释放也应加以考虑。厂址选择中应包括下列因素:

1 在特定厂址所在区域内所发生外部事件(包括外部自然事件和外部人为事件)对核电厂的影响;

2 可能影响释放出的放射性物质向人体和环境转移的厂址特征及其环境特征;

3 与实施应急措施的能力及个人和群体风险评价必要性有关的外围地带的人口密度、人口分布及其他特征。

3.2.2 核电厂宜建在人口密度相对较低、离大城市相对较远的地点,核电厂规划限制区范围内不应有 1 万人以上的乡镇,厂址半径 10km 范围内不应有 10 万人以上的城镇。

3.2.3 厂址不宜选择在可能受洪水(包括降水、高水位、高潮位引起)危害或因挡水构筑物失效而引起的洪水及波浪的危害,以及地震引起海啸或湖涌危害的地区。

3.2.4 厂址应避开可能存在对核电厂安全有潜在影响的能动断层。

3.2.5 厂址不应选在洞穴、岩溶等自然特征和矿井、油井或气井等人为特征的地区,以及有引起地面塌陷、沉降或隆起的地区。

3.2.6 厂址地下材料宜为固结或胶结良好的岩土层。在厂址设计基准地面运动的条件下,安全重要建筑物、构筑物地基不应存在潜在液化可能的土层。

3.2.7 在厂址及其邻近地区,不应存在难以防治的地质灾害。

3.2.8 厂址不宜选择在受热带气旋、严重的龙卷风极端气象影响的地区。

3.2.9 厂址地区的气象条件应有利于气载放射性物质的大气弥散。

3.2.10 厂址应处在下列设施的筛选距离以外:

1 大型危险设施如化学品、炸药生产厂和贮存仓库、炼油厂、油和天然气贮存设施;

2 民用机场、军用机场、空中实弹靶场和空中航线;

3 输送易燃气体或其他危险物质的管线;

4 运载危险物品的运输线路包括水路、陆路和航线。

3.2.11 在厂址选择中,应结合厂址周围的环境特征现状和预期发展,论证实施场外应急计划的可行性。为实施应急措施,厂址应有两个不同方向对外联系的交通路线。

3.2.12 必须确定核设施设计中所考虑的与外部事件有关的危险性。对于某一外部事件(或外部事件的组合),应选择表征其危险性的参数值,以确定核电厂外部事件的设计基准。

3.2.13 厂址选择时应考虑核电厂新燃料、乏燃料及放射性废物的贮存和运输安全。

4 总 体 规 划

4.1 一 般 规 定

4.1.1 核电厂总体规划,应依据厂址规划容量和核电厂生产、施工、生活的要求,结合厂址条件,对厂区、厂外设施、非居住区、施工区、防洪排涝设施、交通运输及设施、出线走廊等从近期出发,并应兼顾远期发展,进行统筹规划。总体规划应与城镇或工业区总体规划相协调。

4.1.2 核电厂的总体规划应贯彻节约、集约用地的原则,宜采用先进节地技术和工艺,严格控制厂区用地、厂外设施以及施工区用地面积。核电厂用地规模应根据规划容量和本期工程建设和施工的需要确定。厂区用地应统筹规划、分期征用,施工用地应采用租借方式。

4.1.3 核电厂总体规划应符合下列要求:

    1 应满足核电厂近、远期规划容量及其配套设施所需用地面积;

    2 应满足核岛等安全重要建筑物、构筑物和重要建筑物、构筑物对地基的要求;

    3 应满足工艺流程、功能分区要求,近期远期结合,方便施工,有利于扩建;

    4 厂区用地应结合反应堆厂房位置和非居住区半径,应充分利用非居住区用地,减少征地拆迁和居民搬迁量;

    5 各配套设施应根据核电厂规划容量和分期建设要求合理配置,并且在满足有关规范、符合安全的前提下,宜相对集中和与厂区接近;

    6 应按照确定的核电厂设计基准洪水位要求,结合厂址地形

条件,合理规划防排洪设施;

7 应充分利用自然条件,因地制宜,减少厂区工程量和基建费用;

8 核电厂对外交通运输方式应结合当地交通运输状况合理选择确定,保证施工和运行期间的运输要求;

9 应按照常年最小风频的下、上侧依次布置现场服务区、配套设施、核电厂厂区;

10 应满足与相邻城镇设施的安全、卫生、环境等要求,并不影响相互发展。

4.1.4 核电厂生产与生活用水水源,应考虑当地季节性用水的水量与水质变化。

4.1.5 生产水取水口(头部)与冷却水排出口的距离,应根据水文特性通过水力排放模型试验确定。

在同一江河取水和排水时,排出口的位置宜选择在取水口(头部)的下游,且与下游其他集中取水点应保持一定距离。

4.1.6 核电厂出线走廊规划应根据系统规划、输电线出线方向、电压等级与回路数、厂址附近的地形、地貌和障碍物等条件,按规划容量统一安排,并宜避免交叉迂回。

4.2 防护距离

4.2.1 核电厂应按照应对严重程度不同的事故后果,确定合理的应急计划区。应急计划区实际边界的确定,应考虑核电厂周围的具体环境特征、社会经济状况和公众心理等因素。

4.2.2 核电厂必须设置规划限制区和非居住区。规划限制区边界以反应堆中心为半径不得小于 5km。非居住区边界以反应堆中心为半径不得小于 500m。非居住区边界不要求是圆形,可根据厂址的地形、地貌、气象、交通等具体条件确定。

4.2.3 对于多堆厂址,应确定一个统一的应急计划区、规划限制区和非居住区边界,其范围应包含各机组所确定边界的包络线。

4.2.4 核电厂放射性物质防护和环境卫生防护的要求,必须符合国家现行标准的规定。

4.2.5 高压输电线路应避开重要设施。当不可避开时,相互间应有足够的防护距离。

4.3 交 通 运 输

4.3.1 核电厂交通运输应结合当地交通运输现状和发展规划,应满足核电厂生产运行的运输、建设期间的运输和核电厂应急计划实施的要求,且应便于经营管理,兼顾地方交通运输。

4.3.2 乏燃料、放射性废物运输应选择安全可靠、路径短捷的运输方式。运输路线宜避开繁忙的国家干线,应避免穿越城镇居民区。

4.3.3 核电厂应设置执行应急计划所需的场地、撤离道路及运输和通信方面的设施。

4.3.4 核电厂进厂道路应合理利用现有的国家公路及城镇道路;与国家公路或城镇道路连接的进厂道路线路应合理、短捷、工程量小,且应不占或少占农田。

4.4 施 工 区

4.4.1 施工区规划应包括施工生产区和施工生活区。施工区用地内不应设置永久性设施。

4.4.2 施工生产区宜布置在厂区扩建端,且靠近施工场地和对外交通运输方便的地段。施工生产周转场地及临时堆场宜利用扩建工程用地。

4.4.3 施工生活区宜靠近核电厂或电厂附近县、乡镇,且应交通运输便捷,并应具有一定规模的生活配套条件。

4.4.4 施工生产区应合理规划施工生产临建、设备材料堆场、建筑垃圾堆场及施工临时供水、供电、供热等设施,并应布置紧凑、分区明确、节约用地。

4.4.5 施工区对外交通运输宜设置独立的对外出入口,避免穿越厂区。施工区道路宜考虑与核电厂永久道路结合,并应满足运输和吊装的要求。

5 总平面布置

5.1 一般规定

5.1.1 厂区总平面布置,应在核电厂总体规划基础上,根据生产、应急、安全、环境、卫生、土建施工、设备安装及检修等要求,结合地形、地质、气象、厂内外运输条件和建设顺序等因素进行多方案技术经济比较后确定。

5.1.2 分期建设的核电厂,近期工程宜集中布置,形成完整的生产体系,并应与远期工程合理衔接。

5.1.3 厂区预留发展用地规模,应根据规划容量和分期建设要求确定。预留发展用地应符合下列要求:

　　1 远期工程主要生产设施的预留发展用地应布置在厂区扩建端,辅助生产设施预留发展用地宜与近期工程相协调;

　　2 远期工程主要生产设施的预留发展用地应有单独的施工出入口;

　　3 在预留发展用地内,不得修建永久设施。

5.1.4 总平面布置应按生产功能和有无放射性做到分区明确并相对集中布置。

5.1.5 总平面布置在满足生产工艺条件下,宜使联系密切的辅助设施、生产管理设施组成联合厂房或多层建筑。

5.1.6 建筑物、构筑物的平面位置,应根据地形、地质条件布置。在山区或丘陵地区,应防止边坡失稳可能引起的危害。当不可避免时,应做出稳定性评价。核岛及其他安全重要建筑物、构筑物应布置在地基岩土性质均匀、地基岩土参数相适宜的地段。

5.1.7 厂区群体建筑的平面布置应与空间造型相协调,形成和谐优美的工作环境。

5.1.8 根据核电厂特点,应合理确定绿化用地,并应符合安全、环境、生产和厂容的要求。

5.1.9 厂区应设置控制区、保护区和要害区。厂区实物保护围栏外形宜整齐、少转角,应便于探测仪器的布置和监视。

5.1.10 厂区总平面布置应满足为实施应急措施对厂区人员的集合场所和撤离路线要求。

5.1.11 厂区交通运输布置,应使物料流程顺畅短捷,并宜做到人、货分流和避免交叉。放射性物流与非放射性物流宜分流运输。在主厂房建筑群周围应留有满足运输和吊装的作业场地。

5.1.12 厂区通道宽度,应符合下列要求:

    1 应满足建筑物、构筑物、露天设备对防火、防爆、卫生间距的要求;

    2 应满足管线、管廊、道路等布置要求和施工、拼装作业、检修、大件设备和大型模块的运输与吊装等要求;

    3 应满足场地竖向设计台阶布置场地要求;

    4 应满足扩建工程应预留的场地要求。

5.1.13 核岛和重要厂用水泵房等安全重要建筑物、构筑物的火灾荷载密度及其耐火极限,应根据相关核安全法规和规范确定。

5.1.14 非安全重要建筑物、构筑物,在生产过程中的火灾危险性及其最低耐火等级应符合下列规定。

    1 主要生产和辅助建筑物、构筑物的火灾危险性分类及其最低耐火等级,应符合表 5.1.14-1 的规定。

表 5.1.14-1　主要生产和辅助建筑物、构筑物的

火灾危险性分类及其最低耐火等级

序号	建筑物、构筑物名称	火灾危险性	耐火等级
1	汽轮发电机厂房	丁	二级
2	电气控制楼(网络控制楼、继电器控制楼)	丁	二级

序号	建筑物、构筑物名称	火灾危险性	耐火等级
3	屋内配电装置楼（内有每台充油量大于60kg 的设备）	丙	二级
4	屋内配电装置楼（内有每台充油量不大于60kg 的设备）	丁	二级
5	屋外配电装置	丙	二级
6	含油生产废水油水分离池（总事故贮油池）	丙	二级
7	化水处理车间	戊	二级
8	海水淡化厂房	戊	二级
9	化学试剂库	甲	二级
10	公共气体储存区	戊	二级
11	制氢站和贮存厂房	甲	二级
12	润滑油和油脂库	丙	二级
13	辅助锅炉房	丁	二级
14	压缩空气站（有润滑油）	丁	二级
15	第五台柴油发电机厂房	丙	二级
16	实验室（厂区实验楼、性能实验室）	戊	二级
17	冷却水泵房	戊	二级
18	冷却塔	戊	三级
19	制氯站	丁	二级
20	放射性厂房（放射性机修及去污车间、特种汽车库、放射性固体废物处理辅助厂房、固体废物暂存库、放射源库、废液排放厂房等）	戊	二级
21	非放射性仓库（机、电、仪库，备品备件库）	丁	二级

序号	建筑物、构筑物名称	火灾危险性	耐火等级
22	大件仓库(工具库)	戊	二级
23	材料棚	戊	三级
24	机、电、仪修车间	戊	二级
25	铆焊车间	丁	二级
26	保卫控制中心	戊	二级
27	洗衣房	戊	二级
28	控制区大门	—	二级
29	保护区大门	—	二级

注：1 除本表规定的建筑物、构筑物外，其他建筑物、构筑物的火灾危险性分类及其最低耐火等级，应符合现行国家标准《建筑设计防火规范》GB 50016 的有关规定。

2 电气控制楼(网络控制楼、继电器控制楼)，当不采取防止电缆着火后延燃的措施时，火灾危险性应为丙类。

2 附属建筑物、构筑物的火灾危险性分类及其最低耐火等级应符合表 5.1.14-2 的规定。

表 5.1.14-2 附属建筑物、构筑物的火灾危险性分类及其最低耐火等级

序号	建筑物、构筑物名称	火灾危险性	耐火等级
1	生产检修办公楼	—	二级
2	综合办公楼	—	二级
3	档案馆	—	二级
4	餐厅	—	二级
5	培训中心	—	二级
6	宣传展览中心	—	二级
7	应急控制中心	—	二级
8	武警营房	—	二级

序号	建筑物、构筑物名称	火灾危险性	耐火等级
9	消防站	—	二级
10	警卫楼	—	二级
11	车队管理楼	—	二级
12	停车场及候车廊	—	二级

注:除本表规定的建筑物、构筑物外,其他建筑物、构筑物的火灾危险性分类及其
最低耐火等级应符合现行国家标准《建筑设计防火规范》GB 50016 的有关
规定。

5.1.15 核电厂各建筑物、构筑物的最小间距应符合表 5.1.15 的
规定,还应符合下列规定:

1 当安全重要建筑物、构筑物与工艺相关建筑物、构筑物成
组布置时,并采用耐火极限不小于 3h 的防火屏障分隔时,可不限
最小间距,与其他建筑物、构筑物间距不应小于表 5.1.15 的规定。

2 两座建筑物,如相邻较高的一面外墙为防火墙时,可不限
最小间距,但甲类建筑物之间不应小于 4m。

3 两座丙、丁、戊类建筑物相邻两面的外墙均为非燃烧体且
无外露的燃烧体屋檐,当每面外墙上的门窗洞口面积之和各不超
过该外墙面积的 5% 且门窗洞口不正对开设时,其防火间距可减
少 25%。

4 戊类厂房之间的防火间距,可按表 5.1.15 减少 2m。

5 两座一、二级耐火等级厂房,当相邻较低一面外墙为防火
墙,且较低一座厂房的屋盖耐火极限不低于 1h 时,可适当减少防
火间距,但甲、乙类厂房不应小于 6m,丙、丁、戊类厂房不应小
于 4m。

6 两座一、二级耐火等级厂房,当相邻较高一面外墙的门
窗等开口部分设有防火门卷帘和水幕时,可适当减少防火间
距,但甲、乙类厂房不应小于 6m;丙、丁、戊类厂房不应小
于 4m。

表 5.1.15　核电厂各建筑物、构筑物的最小间距（m）

序号	建筑物名称		甲类建筑	乙类建筑	丙、丁、戊类建筑耐火等级		常规岛		屋外配电装置	自然通风冷却塔	机力通风冷却塔		放射性厂房	重要厂用水泵房	行政生活服务建筑		铁路中心线		厂外道路（路边）	厂内道路（路边）		围栏
					一、二级	三级	核岛	常规岛			安全级	非安全级		水泵房	一、二级	三级	厂外	厂内		主要	次要	
1	甲类建筑		12	12	12	14	25	13	25	20		25	12	25	25	25	30	20	15	10	5	6
2	乙类建筑		12	12	10	12	25	13	25	20		25	10	25	25	25	30	20	15	10	5	6
3	丙、丁、戊类建筑耐火等级	一、二级	12	10	10	12	15	13	10	15～30①	15～30①		10	10	10	12	有出口时 5～6、无出口时 3～5		无出口时 1.5、有出口无引道时 3、有引道时 7			6
		三级	14	12	12	14	15	15	12				12	12	12	14						
4	核岛		25	25	15	15	—	—	15	—	—	50	15	15	25	25	—	—	—	—	—	—
5	常规岛		13	13	13	15	—	—	13	50	50	20	13	13	13	15	—	—	—	—	—	—
6	屋外配电装置		25	25	10	12	15	13	—	—	—	—	10	12	10	12	—	—	—	1.5	—	—
7	主变压器或屋外厂用变压器油量（t/台）	≤10	25	25	12	15	15	15	—	25～40②	40～60③		12	15	15	20	—	—	—	—	—	—
		>10,≤50			15	20	20	20	—				15	20	20	25						
		>50			20	25	20	20					20	20	25	30						

表（续）

序号	项目		数值（按列）
8	自然通风冷却塔		20　20　15~30①　—　25~40②　0.45~0.50D④　—　20　—　30　30　25　15　25　10　10
9	机力通风冷却塔	安全级	25　25　15~30①　—　40~60④　—　⑤　20　20　—　35　35　20　35　15　15
		非安全级	—　50　—　50　40~50　40~50　50 20　—　1.0H⑥　—　35　35　20　35　15
10	放射性厂房		12　10　10　12　13 15　10　20　20　20　10　10　25　25　35　25　6
11	重要厂用水泵房		25　25　12　10　10　13 15　10　1.0H⑥　10　10　12　10　10　12　10　7

注：
重要厂用水泵房：有出口时 5~6，无出口时 3~5；有出口时 1.5，无出口时 3，有引道时 7。

续表 5.1.15

序号	建筑物名称		甲类建筑	乙类建筑	丙、丁、戊类建筑 耐火等级		核岛	常规岛	屋外配电装置	自然通风冷却塔	机力通风冷却塔		放射性厂房	重要厂用水泵房	行政生活服务建筑		铁路中心线		厂外道路（路边）	厂内道路（路边）		围栏
			一、二级		一、二级	三级					安全级	非安全级	厂房	水泵房	一、二级	三级	厂外	厂内		主要	次要	
12	行政生活服务建筑	一、二级	25	25	10	12	25	13	10	30	35	35	25	10	6	7	有出口时 5~6，无出口时 3~5		无出口时 1.5，有出口时 3			6
		三级	25	25	12	14	25	15	12	30	35	35	25	12	7	8						6

注：1 自然通风冷却塔（机力通风冷却塔）与主控制楼（单元控制楼、计算机室控制楼）采用30m，其余建筑物采用15m~20m(除水工设施等采用15m外，其他均采用20m)。

2 为冷却塔零米（水面）外壁至屋外配电装置构架边净距，当冷却塔位于屋外配电装置冬季盛行风向的下风侧时为25m。

3 在非严寒地区采用40m，严寒地区采用有效措施后小于60m。

4 D为逆流式自然通风冷却塔进出口下缘塔筒直径（人字柱与水面交点处直径，取相邻较大塔的直径。冷却塔布置时，当冷却塔位于屋外配电装置冬季盛行风向的上风侧时为40m，位于冬季盛行风向的下风侧时为25m。塔群布置时，塔间距宜为0.45D，困难情况下可适当缩减，但不应小于0.45D。当间距小于0.50D时，应要求冷却塔采取减小风的负压载的措施。采用塔群取冷却塔4倍标准进风口的高度。采用非安全级冷却塔布置时，塔间距宜为0.5D，有困难时可适当缩减，但不应小于0.45D。当间距小于0.50D时，根据塔群前后错开的情况，可取0.5~1.0倍塔长。

5 机力通风冷却塔之间的间距：当盛行风向平行于塔行于塔长一字形布置时；当盛行风向垂直于塔群长边方向且两列塔呈一字形布置时，塔端净距不得小于9m。
行风垂直于机力通风冷却塔呈平行于塔群长边方向时两高度。

6 H为机力通风冷却塔进风口高度。

7 除本规范另有规定外,数座耐火等级不低于二级的厂房,其火灾危险性为丙类,占地面积总和不超过 8000m²(单层)或 4000m²(多层),或丁、戊类不超过 10000m²(单、多层)的建筑物,可成组布置。当高度不超过 7m 时,组内建筑物之间的距离不应小于 4m;当高度超过 7m 时,组内建筑物之间的距离不应小于 6m。

8 屋外布置油浸变压器时,其最小间距不宜小于 10m;当在靠近变压器的外墙上于变压器外廓两侧各 3m、变压器总高度以上 3m 的水平线以下的范围内设有防火门和非燃烧性固定窗时,与变压器外廓之间的距离可为 5m～10m;当在上述范围内的外墙上无门窗或无通风洞时,与变压器外廓之间的距离可在 5m 之内。屋外油浸变压器之间的间距应由安装工艺确定。

9 与屋外配电装置的最小间距应从构架上部的边缘算起;自然通风冷却塔应算至零米外壁;高压输电线不宜跨越永久性建筑物,当非跨越不可时,应满足其带电距离最小高度要求,建筑物屋顶并应采取相应的防火措施。

10 架空高压电力线边导线与丁、戊类建筑物、构筑物的最小水平距离应符合下列规定:

1)110kV 最小水平距离应为 4m;

2)220kV 最小水平距离应为 5m;

3)330kV 最小水平距离应为 6m;

4)500kV 最小水平距离应为 8.5m。

11 自然通风冷却塔与机力通风冷却塔之间的距离,当冷却塔淋水面积大于 3000m² 时,应采用大值;当冷却塔淋水面积小于或等于 3000m² 时,应采用小值。

12 当冷却塔和核岛(包括安全重要建筑物、构筑物)的净距小于 1.0H(H 为冷却塔高度)时,应进行倒塔影响的论证。

13 冷却塔与汽轮发电机厂房之间的距离不宜小于 50m。在改、扩建厂及场地困难时可适当缩减,当冷却塔淋水面积小于等于

3000m²时,不应小于24m,当冷却塔淋水面积大于3000m²时,不应小于35m。

14 管道支架柱或单柱与道路边的净距不应小于1m。

15 厂内道路边缘至厂内铁路中心线间距不应小于3.75m。

16 含油生产废水油水分离池(总事故贮油池)至火灾危险性为丙、丁、戊类生产建筑物、构筑物(一、二级耐火等级)的距离不应小于5m,至行政生活服务建筑物(一、二级耐火等级)的距离不应小于10m。

17 汽轮发电机厂房外侧贮油箱防火间距应按变压器防火间距考虑。

5.1.16 核电厂用地指标应符合核电厂厂区建设用地指标的规定。

5.1.17 核电厂厂区建筑系数最小值应符合表5.1.17的规定。

表 5.1.17　核电厂厂区建筑系数表

机 组 类 型	建筑系数(%)
双堆机组	28
单堆机组	24

5.2　主要生产设施布置

5.2.1 核岛布置应符合下列要求:

1 核岛布置宜使与其毗邻的常规岛有顺捷的取、排水条件和电缆敷设条件;

2 核岛布置宜有利于放射性厂房成区布置,并处于盛行风向下风向;

3 核岛布置应有利于新、乏燃料和放射性废物的运输;

4 核岛应按要害区设防。

5.2.2 核岛宜布置在稳定的、岩土性质均匀的地基上,地基岩土参数应符合相应反应堆型标准设计的要求。

5.2.3 柴油发电机房应靠近或贴邻核岛布置。

5.2.4 汽轮发电机厂房布置应符合下列要求：

1 应紧靠核岛，其汽机长轴方向宜与反应堆呈径向布置；

2 汽轮发电机厂房布置应使循环水管线短捷；

3 根据屋内、外配电装置的位置，应使高压输电线出线方便；

4 炎热地区宜使汽轮发电机厂房面向夏季盛行风向。

5.2.5 核电厂多台核电机组布置时应避免汽轮发电机厂房断裂飞射物对反应堆厂房、主控制室等安全重要建筑物、构筑物的影响。

5.2.6 主变压器应布置在汽轮发电机厂房外侧，主变压器就地检修时，附近应有必要的检修场地。

5.2.7 屋内、外配电装置布置应符合下列要求：

1 宜布置在汽轮发电机厂房一侧，靠近主变压器、进出线方便地段。经技术经济论证也可布置在离汽轮发电机厂房较远处或厂区围墙外的地区。

2 当主变压器至屋内、外配电装置的高压输电线路为架空线时，宜避免相互交叉和跨越永久性建筑物。

3 不同电压等级的配电装置应结合规划容量，一次规划分期建设，并宜避免不同等级电压出线线路交叉。

4 屋外配电装置宜布置在循环水冷却设施冬季盛行风向的上风侧。

5.2.8 网络控制楼宜布置在屋内、外配电装置区内。

5.3 辅助生产设施布置

5.3.1 放射性厂房宜相对集中、独立成区布置，且应有对外运输的单独出入口，并应布置在保护区内。

5.3.2 放射性厂房布置应符合下列要求：

1 放射性厂房应与核岛之间的管线和道路连接方便短捷；

2 宜布置在厂区一角，常年最小风频的上风侧、厂区地形最低的地段；

3 地下设施底面宜高于地下水位,若不能满足时,应设置可靠的防水措施;

4 厂房放射性物料的运输出入口,宜面向指定运输放射性物料的道路。

5.3.3 冷却水泵房布置宜符合下列要求:

1 当采用直流、混流或混合供水系统时,冷却水泵房宜靠近汽轮发电机厂房;

2 当采用循环冷却供水时,冷却水泵房宜靠近冷却塔或汽轮发电机厂房;

3 当冷却水泵房具有安全供水功能时,应按要害区设防。

5.3.4 冷却塔布置应符合下列要求:

1 冷却塔应与安全重要建筑物、构筑物保持安全距离,并应符合本规范第 5.1.15 条的规定;

2 冷却塔宜靠近汽轮发电机厂房,不宜布置在厂区扩建端;

3 冷却塔不宜布置在室外配电装置和主厂房建筑群冬季盛行风向的上风侧;

4 应考虑冷却塔的飘滴、羽雾和噪声对周围环境的影响;

5 大型自然通风冷却塔,在有多座冷却塔布置时不宜采用梅花形、菱形、三角形布置形式;

6 机力通风冷却塔的长边,宜与夏季盛行风向平行,并应控制噪声对周围环境的影响。

5.3.5 进、排水管道布置,应力求短捷,并应减少相互之间及与其他管线的交叉。

5.3.6 化水处理车间布置应靠近汽轮发电机厂房,并应避免卸存酸类、碱类、粉状等物品对附近建筑物、构筑物的污染和腐蚀。

5.3.7 循环水补充水处理站宜靠近冷却塔布置。

5.3.8 生活、生产和消防用水处理厂,宜布置在厂区外,靠近厂区,使原水和供水管线短捷,且宜处于厂区常年最小风频下风侧。

5.3.9 海水淡化厂房布置宜符合下列要求:

1 宜靠近水源；

2 宜与化水处理车间集中布置。

5.3.10 动力和气体供应设施宜相对集中于一区，并应靠近核岛、常规岛。

5.3.11 辅助锅炉房宜布置在汽轮发电机厂房附近。

5.3.12 压缩空气站应布置在主要服务对象附近或靠近负荷中心；贮气罐宜布置在压缩空气站室外较阴凉的一面；压缩空气站产生噪声、振动的设施与装有精密仪表和要求安静的部门，应保持防振、防噪声的间距。

5.3.13 制氢站及氢气储供车间布置应符合下列要求：

1 应单独布置，并应布置在常年最小风频的下风侧；

2 应远离明火或散发火花的地点；

3 宜布置在厂区边缘且不窝风的地段，泄压面不应面对人员集中的地方和主要交通道路；

4 宜留有扩建余地。

5.3.14 保卫控制中心应布置在保护区内，按要害区设防，且距保护区周界的距离不应小于 6m。

5.3.15 非放射性仓库宜集中或联合布置，各类仓库应按贮存物料的性质、管理特征，确定其朝向并设置必要的露天作业场地。仓库区宜靠近对外物料运输的出入口，宜布置在保护区外。

5.3.16 机、电修理车间宜集中或联合布置，应设置必要的露天堆场和作业场，仪修车间应远离振源。

5.3.17 废弃物料暂存场地应布置在厂区边缘且不妨碍厂容的地段。

5.4 厂前建筑区布置

5.4.1 厂前建筑区包括综合办公楼、档案馆、餐厅，宜集中布置组成多功能的联合建筑，布置在保护区外，且方便生产联系的位置。

5.4.2 厂前建筑区宜位于对外联系方便、面向厂外主要干道的地段,并应靠近厂区主要人流出入口处。

5.4.3 厂前建筑区宜布置在厂区常年最小风频的下风侧,其中餐厅宜布置在厂前区常年或夏季盛行风向下风侧。

5.4.4 建筑物、道路、广场、绿化的平面与空间组合宜简洁美观,有利于生产管理、方便生活、人员集散和厂容厂貌,应并与周围环境相协调。

5.5 其他设施布置

5.5.1 宣传展览中心、培训中心和厂区生活服务设施可集中或分区布置,宜靠近厂前区,布置在进厂道路附近,并应布置在控制区外。

5.5.2 生产废水处理站和生活污水处理站应根据具体情况集中或分散布置,管线连接方便,且宜靠近最终排出口方向布置,并宜处于电厂全年主导风向的下风向。

5.5.3 核电厂应独立设置武警部队守卫,武警营房应布置在靠近核电厂且交通便利地段,满足核电厂保卫、实物保护、突发事件和应急状态下的处置要求。

5.5.4 核电厂应独立设置消防站,消防站规模宜按照普通消防站设置。

5.5.5 消防站布置应符合下列规定:

1 消防站宜设在厂前区边缘、通往厂区主厂房建筑群最短捷的出入口附近,或布置在责任区的适中位置,并能顺利通往责任区内各个地段,应保证在接到报警后 5min 内消防队可以到达责任区边缘。

2 消防站主体建筑距办公楼、食堂、展览厅等容纳人员较多的建筑的主要疏散出口不宜小于 50m;消防站边界距有生产、贮存易燃易爆化学危险品的车间不宜小于 200m,并应设置在常年盛行风向的上风或侧风处。

3 消防站车库门应朝向主要道路,至道路边缘的距离不宜小于 15m。门前地坪应为水泥混凝土或沥青等材料铺筑,并应向道路边缘有 1‰～2‰ 的下坡。

5.5.6 应急控制中心布置应符合下列要求:

1 应设在厂址征地边界内与主控制室相分离的地方;

2 应保证应急期间的应急指挥人员可以快速到达;

3 应满足在严重事故状态下的可居留性要求;

4 应按厂址所在地区地震基本烈度提高一度进行抗震设计,并应按照设计基准地震动 SL2 进行校核;

5 应具备抵御设计基准洪水危害的能力,应考虑对超设计基准洪水的防水封堵。

5.5.7 核电厂应独立设置移动应急电源厂房,并应符合下列规定:

1 移动应急电源厂房应按厂址所在地区地震基本烈度提高一度进行抗震设计,并应按照设计基准地震动 SL2 进行校核;

2 移动应急电源厂房应考虑在水淹没高度高于设计基准洪水位 5m 时,已采取的防水淹措施不会导致移动电源及相关设备不可用;

3 移动应急电源厂房宜设置在安全重要物项 100m 之外,并应保证交通的可达性。

5.5.8 核电厂应单独设置气象站,并应符合下列要求:

1 应设在能较好地反映本地气象要素特点的地方,其四周应空旷平坦,海拔高度宜与厂址地坪相适应;

2 应布置在核电厂厂址盛行风向的上风向;

3 观测场四周障碍物的影子应不会投射到日照和辐射观测仪器的受光面上,附近应没有反射阳光强的物体。

5.5.9 核电厂应单独设置环境监测站、环境实验室等,并应根据电厂环境监测要求布置在厂外适当位置。

5.5.10 厂前停车场应全厂统一规划,分期建设,宜布置在厂前建筑区附近且靠近进厂道路处。

5.6 实物保护和出入口布置

5.6.1 核电厂的实物保护区域应划分为控制区、保护区和要害区,并应按下列要求分别设置实体屏障:

1 控制区围墙(栏)应沿核电厂周界设置。可采用砖、石或混凝土构筑的围墙,也可采用铁栏杆或铁丝网构成的栅栏。

2 保护区围墙(栏)应沿保护区周界设置。该实体屏障宜采用铁丝网构成的双层栅栏。双层围栏间距不宜小于 6m。

3 要害区围墙(栏)应沿要害区周界设置。保护区内的建筑物自身可构成要害区的屏障,也可与邻近的栅栏或围墙相衔接,共同组成要害区屏障。

4 各区屏障间的距离不宜小于 6m。

5 控制区、保护区屏障内侧和要害区屏障外侧,应设置不小于宽度 2m 的人员巡逻通道或宽度不小于 4m 的车辆巡逻通道。在条件受限时,至少应设人员巡逻便道。

5.6.2 出入口设置应满足人、货分流和应急撤离要求,应设有两个不同方向的出入口,其位置应使厂内、外联系方便,且方便进厂道路与地方公路的连接。

5.6.3 厂区主要出入口宜设在厂前区,面向城镇及公路干道。进厂主干道宜选择较好的对景。

5.6.4 人员出入口控制应符合下列要求:

1 实物保护区域的人员出入口数量应减少至最低限度,其延迟能力应与邻近的实体屏障相匹配。

2 出入口应配置视频监控和通讯装置,并应随时保持与保卫控制中心的联系。

3 应设置人员应急出入口。在发生突发事件时,应急出入口应授权开启。

5.6.5 车辆出入口控制应符合下列要求:

1 保护区的车辆出入口应单独设置,数量应减少至最低限度。其延迟能力应与邻近的实体屏障相匹配。

2 控制区车辆出入口外侧，应设车辆减速、限速装置；保护区车辆出入口外侧应设防车辆冲撞装置。车辆应在指定的停车区内停泊。

3 保护区车辆出入口应采用不能同时开启的双重门结构。

4 在保护区和要害区，运送放射性废物和废液的车辆出入口应配置入侵探测装置。

5 在发生突发事件时，指定的车辆出入口应授权开启。

6 竖 向 布 置

6.1 一 般 规 定

6.1.1 核电厂厂区竖向布置,应与总平面布置统一考虑,并应与区域总体规划、厂外铁路、厂外道路、大件码头、厂外排水管网、厂区周围地形等相适应。竖向布置方式可采用平坡式或阶梯式。

6.1.2 竖向布置应满足生产、运输与装卸、工程管线布置、防洪、场地排水以及施工等要求,并应结合地形、地质条件确定竖向布置方式和设计标高。减小并平衡土石方,在填、挖方量无法达到平衡时,应落实弃土(淤泥)场地或取土场,弃土区严禁占用基本农田,应不占或少占农田。

6.1.3 竖向布置应充分利用和保护自然的排水系统。当必须改变原排水系统时,应对有关流域进行充分调查研究,选择宜于导流的地段,使水顺畅地引出厂外,并应从安全、技术、经济方面予以评价。

6.1.4 安全重要建筑物、构筑物,常规岛及其他建筑物、构筑物,施工临时建筑物、构筑物的防洪标准应符合表6.1.4的规定。

表6.1.4 建筑物、构筑物防洪标准

建筑物、构筑物类别	防洪标准(重现期)
安全重要建筑物、构筑物	设计基准洪水位
常规岛及其他建筑物、构筑物	≥100、200年一遇高水(潮)位
施工临时建筑物、构筑物	≥20年一遇高水(潮)位

注:1 对于风暴潮严重地区海滨发电厂的常规岛及其他建筑物、构筑物应取
200年。

2 厂址应考虑截山洪和排山洪的措施,安全重要建筑物、构筑物相关截排洪
设施应按1000年一遇设计,可能最大洪水(PMF)校核。

6.1.5 核电厂的设计基准洪水应按《滨河核电厂厂址设计基准洪水的确定》HAD101/08 或《滨海核电厂厂址设计基准洪水的确定》HAD101/09 确定。

6.1.6 挖方或填方的边坡或挡土墙应稳定,不得危及附近建筑物、构筑物。对安全重要建筑物、构筑物结构安全有关的边坡或挡土墙应进行抗震稳定性验算。

6.1.7 后期工程场地土石方开挖引起的振动应经计算与分析,在运行电厂允许参数范围内时,土石方爆破施工可分期进行。

6.2 设计标高的确定

6.2.1 安全重要建筑物、构筑物的场地设计标高应高于设计基准洪水位,并应考虑相应的波浪影响。防洪堤的堤顶标高应根据设计基准洪水位和相应的波浪来确定。与核安全相关的填方的护坡和防洪堤应作为安全重要构筑物来设计。

核电厂场地设计标高应满足安全应急的要求,且应避免因洪水泛滥而形成孤岛运行的现象,同时尚应考虑小流域洪水对厂区防洪安全的影响。

6.2.2 常规岛区域场地设计标高应高于防洪标准(重现期)0.5m。

6.2.3 汽机厂房室内地坪设计标高应符合下列要求:

    1 当采用直流冷却供水时,应充分考虑电厂运行的经济性;

    2 当采用二次循环冷却供水时,应与冷却设施水位高程相适应。

6.2.4 建筑物的室内地坪设计标高应与相互联系密切的车间、仓库之间的运输方式相适应,进入建筑物的运输线路应符合技术条件。

6.2.5 建筑物室内、外地坪高差应符合下列规定:

    1 有车辆出入的建筑物室内、外地坪高差,宜为0.15m~0.30m;

2 无运输车辆出入的建筑物室内、外地坪高差可大于0.30m；

3 易燃、可燃、腐蚀性液体仓库室内地坪宜低于仓库门口的地坪，或入口处设置门槛，应确保液体无外流的可能。

6.2.6 核岛龙门吊架地坪标高、固定露天（仓库）堆场地坪标高，应高于周围场地，宜设不小于3‰的排水坡度。

6.2.7 当建筑物有铁路引入时，建筑物的室内地坪标高应根据铁路运输装卸要求确定，地坪标高宜与铁路轨顶标高相适应。

6.3 阶梯式布置

6.3.1 山坡地区厂区竖向布置，在满足生产、运输等要求下，宜采用阶梯式布置。

当电厂采用直流冷却供水，场地标高与取水标高相差较大时，宜将反应堆厂房与汽机厂房错层布置。

6.3.2 阶梯的划分应根据生产性质予以组织。宜将安全重要建筑物、构筑物布置在一个台阶上，非安全重要建筑物、构筑物布置在另一个台阶上，全厂台阶数不宜超过3个。

6.3.3 台阶的宽度除应满足建筑物、构筑物及其附属设施布置所需宽度外，尚应满足交通运输、管线敷设、施工安装等需要的宽度。

6.3.4 台阶的高度宜按下列因素确定：

1 生产工艺及各种运输方式的技术条件；

2 建筑物、构筑物基础埋设深度；

3 横向坡度及台阶宽度；

4 岩土工程及水文地质条件。

6.3.5 相邻两台阶的连接，应根据工艺要求、岩土工程、水文地质、降雨强度、用地情况和运输方式等因素，经比较可采用自然边坡或铺砌护坡或挡土墙。

6.3.6 场地挖方、填方的边坡坡度允许值，应根据具体工程地质条件确定。当山体整体稳定，地质条件良好，土（岩）质比较均匀时,其坡度可参照当地的实际经验和本规范附录 A 确定。

6.3.7 铁路、道路的路堤和路堑边坡,应符合现行国家标准《Ⅲ、Ⅳ级铁路设计规范》GB 50012 和《厂矿道路设计规范》GBJ 22 的有关规定。

6.3.8 台阶坡顶至建筑物、构筑物的距离应符合下列要求:

  1 应满足建筑物、构筑物室外附属设施、道路、铁路、管线和排水沟布置需要的场地;

  2 应满足施工安装的需要;

  3 应防止建筑物、构筑物基础侧压力对边坡的影响。

6.3.9 位于稳定土坡坡顶上的建筑物、构筑物,当基础宽度小于 3m 时,其基础底面外边缘至坡顶的水平距离计算(图 6.3.9)应符合下列要求,且不得小于 2.5m:

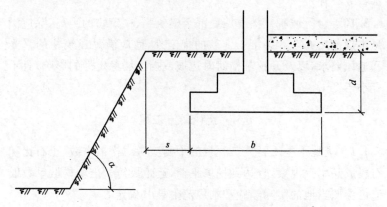

图 6.3.9　基础底面外边缘线至坡顶的水平距离

  1 条形基础底面外边缘至坡顶的水平距离计算应符合下式要求:

$$s \geqslant 3.5b - \frac{d}{\tan\alpha} \qquad (6.3.9\text{-}1)$$

  2 矩形基础底面外边缘至坡顶的水平距离计算应符合下式要求:

$$s \geqslant 2.5b - \frac{d}{\tan\alpha} \qquad (6.3.9\text{-}2)$$

式中:s——基础底面外边缘至坡顶的水平距离(m);

　　b——垂直于坡顶边缘的基础底面边长(m);

　　d——基础埋置深度(m);

　　α——边坡坡角(°)。

3 当基础底面外边缘线至坡顶的水平距离不能满足本条第1、2款要求时,应根据基底平均压力按现行国家标准《建筑地基基础设计规范》GB 50007 有关规定确定基础至坡顶边缘的距离和基础埋深。

4 当边坡坡角大于 45°、坡高大于 8m 时,应进行坡体稳定验算,在安全重要建筑物、构筑物周围,还应有专门的安全分析报告进行安全评价。

6.3.10 台阶坡脚或挡土墙底部至建筑物、构筑物的距离,除应满足本规范第 6.3.8 条第 1、2 款的规定外,尚应满足建筑物的采光和通风要求,以及开挖基槽时对边坡或挡土墙稳定性的影响,且不应小于 2m。

6.4 土(石)方工程

6.4.1 场地平整土石方工程量的平衡应考虑松散系数、土石比和石料成品率等因素,宜达到挖填平衡,运距最短。土壤松散系数取值可参照当地的实际经验和本规范附录 B 确定。

6.4.2 场地平整标高宜低于场地设计标高。

6.4.3 土石方工程量的综合平衡除场地平整的土石方量外,应考虑下列因素:

1 建筑物、构筑物的基础及其地下室、设备基础、管线(含地沟、廊道等)基槽、排水沟、铁路、道路路槽等土石方工程量;

2 挖方的松土量;

3 开挖石料作为混凝土骨料的使用量;

4 施工和海工用石料量；

5 海涂或软土地带填方的沉降量；

6 稻田、水塘等腐植土或表土清除量与回填利用量；

7 厂外土石方工程量等。

6.4.4 当场地平整大量挖方不能达到填挖平衡时，对多余的土石方宜结合地方建设或土地整备的填土需求及弃土场的选址等作出合理安排。对厂外弃土（淤泥）场地或取土场，应考虑覆土还田的可能性。

6.4.5 场地平整时，填方场地应使用级配回填料并分层压实。填方基底的处理和填方料应符合下列规定：

1 宜先将表层耕土挖出，集中堆放，作为绿化及覆土造田之用。

2 基底应除去草皮、植物性土壤、青草、树桩、泥砂、泥浆、泥炭土和任何不合适材料。

3 基底为水田、沟渠、池塘时，应根据具体情况采取适当的基底处理措施（排水疏干、挖除淤泥、抛填片石或砂砾、矿碴等）后再进行回填。

4 基底为较好的表土时，应碾压密实后，再进行回填。

5 回填材料中不应含有泥炭、木材、有机物及易腐烂的材料、易自燃的材料、液限超过 80 及塑性指数超过 55 的黏土、泥浆、淤泥、淤泥质土、建筑垃圾、工业废料和生活垃圾等。

6 碎石类土、砂土（一般不用细砂、粉砂）、含水量符合压实要求的黏性土和爆破石碴，可用作表层以下的填料。碎石类土或爆破石碴的最大粒径，在距地面设计标高 2m 以内不应超过 30cm，其下各层不应超过每层铺填厚度的 2/3，当使用振动碾时不应超过每层铺填厚度的 3/4。在采用桩基区域，回填碎石的最大粒径应保证桩基能顺利施工。

7 在稳定山坡上的填方，当山坡陡于 1∶5 时，应将基底挖成阶梯形，台阶宽不应小于 1m，台阶底应有 2%～4%向内倾斜的坡度。

8 作为建筑物、构筑物基础地基的回填应符合现行国家标准《建筑地基基础设计规范》GB 50007 的有关规定。

6.4.6 场地填方、道路路基、铁路路基最小压实度应符合下列规定：

1 场地填方最小压实度应符合表 6.4.6 的规定。

表 6.4.6 场地填方最小压实度

填 方 地 点	最小压实度
建筑地段	0.90
近期预留地段	0.85
管线基础下	0.90
一般场地	0.80～0.90

注:利用填土作建筑物地基时,其填土质量应符合现行国家标准《建筑地基基础设计规范》GB 50007 的规定。

2 道路路基最小压实度应符合现行国家标准《厂矿道路设计规范》GBJ 22 的有关规定。

3 铁路路基最小压实度应符合现行行业标准《铁路路基设计规范》TB 10001 的有关规定。

6.4.7 场地填方采用粒径大于 40mm 且含量超过总质量 70％的石料填筑(填石)或采用石料含量占总质量 30％～70％的土石混合材料填筑(填土石)时,应通过铺筑试验段确定合适填筑层厚、压实工艺以及质量控制标准。

场地压实质量宜采用压实功率、碾压速度、压实遍数、铺筑层厚等施工参数与压实质量检测联合控制。填石应采用压实沉降差或孔隙率控制,填土石应采用压实沉降差或压实干密度控制。

6.4.8 场地平整土石方的施工质量,应符合现行国家标准《土方与爆破工程施工及验收规范》GB 50201 和《建筑地基基础设计规范》GB 50007 的有关规定。

6.5 场地排水

6.5.1 场地排水宜采用管道式排水,当设置排水管道有困难或经济上不合理时,可采用明沟排水方式。对有美观要求和有物料装卸作业地段,在明沟上面应铺设盖板。

6.5.2 场地的整平坡度宜为 5‰～20‰,困难地段不宜小于 3‰,最大坡度不宜超过 60‰。

6.5.3 排水明沟宜沿道路、铁路和场地最低处布置,且应符合下列规定:

    1 应减少与铁路、道路交叉,当必须交叉时,宜垂直交叉,不应小于 45°交叉;

    2 未经整平地段,应与原地形相适应;

    3 跌水和急流槽,不宜设在明沟转弯处;

    4 铺砌明沟转弯处,其中心半径不宜小于设计水面宽度的 2.5 倍。

6.5.4 排水明沟宜采用矩形或梯形断面;在厂区边缘(包括山坡坡顶上的截水沟)可采用梯形断面;在岩石地段、雨量少、汇水面积和流量较小地段,可采用三角形断面。明沟起点深度不应小于 0.2m。矩形明沟底宽不应小于 0.4m,梯形明沟底宽不应小于 0.3m。明沟的纵坡不应小于 3‰。

6.5.5 挡土墙、边坡坡顶应设截水沟。截水沟距坡顶的距离不宜小于 5.0m,当土质良好、边坡较低或对截水沟进行加固时,该距离可减少到 2.5m。截水沟不宜穿越厂区,不应穿越与核安全相关的设施区。

6.5.6 当采用管道排水,道路雨水口的型式、数量和布置应按汇水面积范围内的流量、雨水口的泄水能力、道路纵坡和路面种类等因素确定,并应符合下列规定:

    1 雨水口应设置在集水方便并与雨水干管检查井或连接井有良好连接条件的地段,不宜设在建筑物门口、人行道出口和地下管道顶上；

    2   雨水口间距宜为 25m～50m，当道路纵坡大于 2%时，雨水口间距可大于 50m；

    3   当道路的坡段较短时，可在最低点处集中收水，其雨水口的数量应适当增加；

    4   当道路交叉口为最低标高时，应增设雨水口。

6.5.7 场地雨水口设置应按汇水面积范围内的流量和雨水口的泄水能力等因素确定。

7 管线综合布置

7.1 一般规定

7.1.1 管线综合布置应结合规划容量、厂区总平面布置、竖向布置、交通运输以及管线特性、施工维修等基本要求统一规划；应使管线之间、管线与建筑物、构筑物、道路、铁路之间，在平面及竖向布置上协调紧凑、安全合理，并有利厂容。

7.1.2 当核电厂分期建设时，厂区管线综合布置应符合下列规定：

    1 应按规划容量统一规划，近期集中，近远期结合；

    2 近期管线穿越远期用地时，不应影响核电厂将来的扩建和发展；

    3 地下综合廊道内宜预留远期管线布置的空间；

    4 近期管线布置时应考虑与远期管线的接口衔接关系，在经济、合理的情况下，规划预留在近期厂区内的远期管线宜与近期管线同步建设。

7.1.3 管线地下或地上敷设方式的选择，应根据管线内介质的性质、生产安全、辐射防护、卫生、检修和美观等因素经技术经济比较后择优确定，并宜符合下列规定：

    1 各种管线除了必须架空以外，宜地下敷设；

    2 在符合安全、辐射防护、卫生和检修等条件下，管线宜采用共沟或共架敷设。

7.1.4 管线综合布置应符合下列要求：

    1 管线布置应短捷、顺直，适当集中；管线与建筑物、构筑物、铁路、道路应平行布置；管线与道路、铁路及其他干管应减少交叉，当管线与道路或铁路交叉时，宜垂直交叉，困难情况下交叉角不应小于45°。

    2 一般管线不宜穿越与其无关的建筑物、构筑物，必须穿越时应采取相应措施来确保建筑物和管线的安全及正常使用功能；管道内的介质具有毒性、可燃、易燃、易爆性质时，严禁穿越与其无关的建筑物、构筑物。

3 管线穿越或跨越控制区、保护区、要害区围栏时,应设置相应的实物保护措施。

4 相邻管线的附属构筑物如阀门井、检查井等应相互交错布置,有条件时可合并成一个综合井。

5 干管宜靠近主要用户或支管多的一侧布置,也可将干管分类布置在道路两侧。

6 在严寒或寒冷地区,管线布置应满足管道防冻要求。

7 安全重要廊道应满足地基和抗震要求。

7.1.5 管线综合布置过程中发生矛盾时,应满足安全、生产和相关规范要求,处理原则应符合下列要求:

1 非安全级的应让安全级的;

2 无放射性的应让有放射性的;

3 压力管应让自流管;

4 易弯曲的应让不易弯曲的;

5 工程量小的应让工程量大的;

6 管径小的应让管径大的;

7 施工检修方便的应让施工检修不方便的;

8 新设计的应让现有的及永临结合的;

9 临时的应让永久的;

10 无防冻要求的应让有防冻要求的。

7.2 地 下 管 线

7.2.1 地下管线的布置,应符合下列规定:

1 宜按管线埋设深度,自建筑物、构筑物基础开始向外由浅至深布置;有条件时,宜按管线类别相同和埋深相近的原则,合理地集中布置。

2 易燃易爆气体和液体、有毒、腐蚀气体、放射性液体以及各种雨污水重力流管线等不宜与其他管线共同敷设在可通行的地下综合廊道内。

3 给水管与排水管、放射性液(气)体管、有毒液(气)体管,宜分别布置在道路两侧,且生活饮用水与放射性液(气)体管的间距不应小于4m。

4 不应把管线平行布置在铁路下面,也不宜平行布置在道路下面。当布置受限制时,可将埋设较深或不经常检修的管线布置在道路下面,但管线的附属设施不得影响道路的通行功能。

5 地下管线不应敷设在酸、碱等腐蚀性物料的装卸场地下面,且距上述场地边界水平距离不应小于2m;地下管线应避免布置在上述场地的地下水下游方向,当无法避免时,其距离不应小于4m。

6 直接埋地的管道,不应重叠布置。

7 在严寒或寒冷地区,除热力管道、电力电缆、控制与电信电缆或光缆等管线外,给水管道、排水管道、燃气管道直埋时应位于冰冻线以下,管顶距冰冻线不应小于0.15m;当管道采取保温、防冻措施时埋深可适当减少,但应考虑冻土冻胀和融沉对管线的影响,并应采取相应的措施。

8 地下管线不宜布置在建筑物、构筑物的基础压力影响范围内,并应考虑管线在施工和检修开挖时,对建筑物、构筑物基础的影响。

7.2.2 地下管线交叉布置时,应符合下列规定:

1 给水管道应在排水管道上面;

2 可燃气体管道,应在除热力管道外的其他管道上面;

3 电力电缆应在热力管道下面,在其他管道的上面;

4 氧气管道应在可燃气体管道下面,在其他管道上面;

5 有腐蚀性介质的管道及酸性、碱性介质的排水管道,应在其他管道下面;

6 热力管道应在可燃气体管道和给水管道的上面。

7.2.3 地下管线之间的最小水平间距及最小垂直净距,宜符合表7.2.3-1和表7.2.3-2的规定。

7.2.4 地下管线与建筑物、构筑物之间的最小水平净距宜符合表7.2.4的规定。

表 7.2.3-1 地下管线之间的最小水平间距 (m)

名称	规格	给水管(mm)			排水管(mm)						热力沟(管)	油管	酸、碱、氮管	压缩空气管	低放射性液体管(沟)	乙炔管	氧气管	氢气管	电力电缆(kV)<35	电缆沟(管)	通信电缆	
					生产废水与雨水管			生产生活污水管													直埋电缆	电缆管道
名称	规格	<150	200~400	>400	<800	800~1500	>1500	<300	400~600	>600												
给水管(mm)	<150	—	—	—	0.8	1.0	1.0	0.8	1.0	1.2	1.0	1.0	1.0	1.0	3.0(4.0)	1.0	1.0	1.0	1.0	1.0	0.5	0.5
	200~400	—	—	—	1.0	1.2	1.2	1.0	1.2	1.5	1.2	1.2	1.5	1.2	3.0(4.0)	1.2	1.2	1.2	1.0	1.2	1.0	1.0
	>400	—	—	—	1.0	1.5	1.5	1.2	1.5	2.0	1.5	1.5	1.5	1.5	3.0(4.0)	1.5	1.5	1.5	1.0	1.5	1.2	1.2
排水管(mm) 生产废水与雨水管	<800	0.8	—	—	—	—	—	—	—	—	1.0	1.0	1.0	0.8	1.5	0.8	0.8	0.8	1.0	1.0	0.8	0.8
	800~1500	1.0	1.0	—	—	—	—	—	—	—	1.2	1.2	1.5	1.0	1.5	1.0	1.0	1.0	1.0	1.2	1.0	1.0
	>1500	1.2	1.2	1.5	—	—	—	—	—	—	1.5	1.5	1.5	1.2	1.5	1.2	1.2	1.2	1.0	1.5	1.2	1.2
排水管(mm) 生产生活污水管	<300	0.8	1.0	1.0	—	—	—	—	—	—	1.0	1.0	1.0	0.8	1.5	0.8	0.8	0.8	1.0	1.0	0.8	0.8
	400~600	1.0	1.2	1.2	—	—	—	—	—	—	1.2	1.2	1.5	1.0	1.5	1.0	1.0	1.0	1.0	1.2	1.0	1.0
	>600	1.2	1.5	1.5	—	—	—	—	—	—	1.5	1.5	1.5	1.2	1.5	1.2	1.2	1.2	1.0	1.5	1.2	1.2

名称																
热力沟（管）	1.0	1.2	1.0	1.2	1.5	1.0	1.2	1.5	—	2.0	1.5	1.0	1.5	2.0	2.0	1.0
油管	1.0	1.5	1.0	1.5	1.5	1.0	1.0	1.5	1.5	—	1.5	1.5	1.5	1.0	1.0	1.0
酸、碱、氯管	1.0	1.5	1.0	1.5	1.5	1.0	1.0	1.5	1.5	1.5	—	1.5	1.5	1.5	1.2	1.2
低放射性液体管（沟）	3.0 (4.0)	3.0 (4.0)	1.5	1.5	1.5	1.5	1.5	—	1.5	1.5	1.5	1.5	1.5	1.0	1.0	1.0
压缩空气管	1.0	1.2	0.8	1.0	1.2	0.8	1.0	1.2	1.2	1.0	1.5	—	1.2	1.0	1.0	0.8
乙炔管	1.0	1.2	0.8	1.0	1.2	0.8	1.0	1.2	1.5	1.5	1.5	1.5	—	1.0	1.5	0.8
氧气管	1.0	1.2	0.8	1.0	1.2	0.8	1.0	1.2	1.5	1.5	1.5	1.5	1.5	—	1.5	0.8
氢气管	1.0	1.2	0.8	1.0	1.0	0.8	1.0	1.2	1.5	1.5	1.5	1.5	1.5	1.5	—	0.8
电力电缆(kV) <35	1.0	1.0	1.0	1.0	1.0	1.0	1.0	1.0	1.0	2.0	2.0	1.5	1.0	1.0	1.0	0.5
电缆沟（管）	1.0	1.2	0.8	1.2	1.5	1.0	1.2	1.5	1.5	2.0	2.0	1.0	1.0	1.5	—	0.5
通信电缆 直埋电缆	0.5	1.0	0.8	1.0	1.0	0.8	1.0	1.0	1.0	1.0	1.0	1.0	1.0	0.8	0.5	0.5
通信电缆 电缆管道	0.5	1.0	0.8	1.0	1.0	0.8	1.0	1.0	1.0	1.0	1.0	1.0	1.0	0.8	0.5	0.5

注：1 表列间距均自管壁、沟壁或设施的外缘或最外一根电缆算起；当相邻管线之间埋设深度高差大于0.5m时，应按土壤的性质验算其水平净距。

2 当热力沟（管）与电力电缆间距不能满足本表规定时，应采取隔热措施，以防电缆过热。

3 局部地段电力电缆穿管保护或加隔板后与给水管的间距可减少到0.5m，与穿管通信电缆的间距可减少到0.1m。

4 表列数据系按给水管在污水管上方制定的。生活饮用水给水管与污水管之间的间距应按本表数据增加50%；生产废水管之间的间距可减少20%，和通信电缆、电力电缆之间的间距不得小于0.5m。

5 当给水管与排水管共同埋设时同埋的土壤为砂类土，且总长度不小于合成塑料时；给水与排水管间距不应小于1.5m。

6 110kV、220kV级的电力电缆与本表中各类管线之间的间距，可按35kV数据增加50%。电力电缆排管（即电力电缆管道）间距要求与电缆沟同。

7 氧气管与使用目的乙炔管道一水平敷设时，其间距可减至0.25m，但管道上部0.3m高度范围内，应用砂类土、松散土填实后再回填。

8 括号内数值4.0指饮用水与低放射性液体管（沟）之间的距离。

9 管径系指公称直径；管线距离相邻管井外壁距离不小于0.20m。

10 表中"—"表示同距未作规定，可根据具体情况及工艺要求确定。

• 44 •

表 7.2.3-2 地下管线之间的最小垂直净距 (m)

间距名称＼名称	给水管	排水管	热力沟（管）	油管	酸、碱、氯管	低放射性液体管（沟）	压缩空气管	乙炔气管	氧气管	氢气管	电力电缆	电缆沟（管）	通信电缆 直埋电缆	通信电缆 电缆管道
给水管	—	0.40	0.15	0.30	0.50	1.0	0.15	0.25	0.15	0.25	0.15	0.15	0.50	0.15
排水管	0.40	—	0.15	0.30	0.50	0.50	0.15	0.25	0.15	0.25	0.50	0.25	0.50	0.25
热力沟（管）	0.15	0.15	—	0.30	0.50	0.50	0.15	0.25	0.25	0.25	0.50	0.25	0.50	0.25
油管	0.30	0.30	0.30	—	0.50	0.50	0.30	0.25	0.30	0.30	0.50	0.25	0.50	0.50
酸、碱、氯管	0.50	0.50	0.50	0.50	—	0.50	0.50	0.50	0.50	0.50	0.50	0.50	0.50	0.50
低放射性液体管（沟）	1.0	0.50	0.50	0.50	0.50	—	0.50	0.50	0.50	0.50	0.50	0.50	0.50	0.50
压缩空气管	0.15	0.15	0.15	0.30	0.50	0.50	—	0.15	0.15	0.15	0.50	0.25	0.50	0.25
乙炔气管	0.25	0.25	0.25	0.25	0.50	0.50	0.15	—	0.25	0.25	0.50	0.25	0.50	0.15
氧气管	0.15	0.15	0.25	0.30	0.50	0.50	0.15	0.25	—	0.25	0.50	0.25	0.50	0.15
氢气管	0.25	0.25	0.25	0.30	0.50	0.50	0.15	0.25	0.25	—	0.50	0.50	0.50	0.25
电力电缆	0.15	0.50	0.50	0.50	0.50	0.50	0.50	0.50	0.50	0.50	—	0.25	0.50	0.25
电缆沟（管）	0.15	0.25	0.25	0.25	0.50	0.50	0.25	0.25	0.25	0.50	0.25	—	0.25	0.25
通信电缆 直埋电缆	0.50	0.50	0.50	0.50	0.50	0.50	0.50	0.50	0.50	0.50	0.50	0.25	—	0.25
通信电缆 电缆管道	0.15	0.15	0.25	0.25	0.50	0.50	0.25	0.15	0.15	0.25	0.50	0.25	0.25	—

注：1 表中管道、电缆和电缆沟采用隔板分隔时电力电缆最小垂直净距，系指下面管道或管沟的外顶与上面管道或管沟（沟）的管底或管沟基础底之间的净距。

2 当电力电缆采用隔板分隔时电力电缆之间及其与其他管线之间的距离可为 0.25m。

3 酸、碱、氯气管与其他管线交叉时，应将其敷设在下面，垂直净距不应小于 0.50m，如在交叉处有一方管线采用了套管，垂直净距可为 0.15m。

表 7.2.4　地下管线与建筑物、构筑物之间的最小水平间距（m）

名称	给水管（mm）			排水管（mm）						热力沟（管）	油管	酸、碱、氮管	低放射性液体管（沟）	压缩空气管	乙炔管	氧气管	氢气管	电力电缆（35kV及以下）	电缆沟	通信电缆
				生产废水与雨水管			生产与生活污水管													
	<150	200～400	>400	<800	800～1500	>1500	<300	400～600	>600											
建筑物、构筑物基础外缘	1.0	2.5	3.0	1.5	2.0	2.5	1.5	2.0	2.5	2.5	1.5	3.0	3.0	1.5	①	②	③	0.6④	1.5	1.5 0.5⑥
标准轨距铁路（中心线）	3.3	3.8	3.8	3.8	4.3	4.8	3.8	4.3	4.8	4.8	3.8	3.8	3.8	3.3	3.3	3.3	3.3	3.8 (10.80)⑤	3.3	3.3
道路	0.8	1.0	1.0	0.8	0.8	1.0	0.8	0.8	1.0	1.0	1.0	1.0	1.0	0.8	0.8	0.8	0.8	0.5	0.8	0.8
管架基础外缘	0.8	1.0	1.0	0.8	0.8	1.2	0.8	1.0	1.2	1.2	0.8	2.0	2.0	0.8	0.8	0.8	0.8	0.5	0.8	0.5
照明、通信杆柱（中心）	0.5	0.5	0.5	0.5	0.5	0.5	0.5	0.5	0.5	0.5	0.5	1.0	1.0	1.0	1.0	1.0	1.0	0.5	0.8	0.5
围墙基础外缘	1.0	1.0	1.0	1.0	1.0	1.0	1.0	1.0	1.0	1.0	1.0	1.5	1.5	1.0	1.0	1.0	1.0	0.5	1.0	0.5
排水沟外缘	0.8	0.8	1.0	0.8	0.8	1.0	0.8	0.8	1.0	1.0	1.0	1.0	1.0	1.0	0.8	0.8	0.8	1.0④	1.0	0.8
高压电力杆柱或铁塔基础外缘	0.8	0.8	0.8	0.8	0.8	0.8	0.8	0.8	0.8	0.8	1.2	3.0	3.0	1.2	1.9	2.0	2.0	1.0 (4.0)⑨	1.2	1.2 0.8

注：1 表列间距除注明者外，管线均自管壁、沟壁或防护设施的外缘或最外一根电缆算起，为公路型时，自路肩边缘算起。

2 表列埋地管线与建筑物，构筑物基础外缘的间距，均是指埋地管线与建筑物，构筑物的基础在同一标高或其以上时，当埋地管道深度大于建筑物，构筑物的基础深度时，应按土壤性质计算确定，但不得小于表列数值。

3 当管架为双柱式管架且双柱分别设置地下时，在满足本表要求的情况下，可在管架基础之间敷设管线。

4 地下管线与铁路中心、道路之间的最小水平间距，系指平坦地段采用的数值，当铁路、道路路基为路堤或路堑式时，表中距离应根据实际情况相应增加。给水管道至铁路路堤坡脚的净距为 10.0m，至铁路至铁路路堤坡脚或路堑顶的净距为 5.0m，排水管道至铁路路堤坡脚或路堑顶的净距，不小于 5.0m。

5 表中的①～⑥注解具体内容如下：

①乙炔管道，距有地下室及生产火灾危险性为甲类的建筑物，构筑物的基础外缘和通行沟道的外缘的间距为 2.5m，距无地下室的建筑物，构筑物的基础外缘的间距为 1.5m。

②氧气管道，距有地下室的建筑物的基础外缘和通行沟道的外缘的水平间距为：氧气压力≤1.6MPa 时，采用 2.0m，氧气压力>1.6MPa 时，采用 3.0m，距无地下室的建筑物基础外缘的水平净距为：氧气压力≤1.6MPa 时，采用 1.2m，氧气压力>1.6MPa时，采用 2.0m。

③氢气管道，距有地下室的建筑物的基础外缘和通行沟道的外缘的水平间距为 3.0m，距无地下室的建筑物基础外缘的水平距离为 2.0m。

④表中所列数值特殊情况下可酌减且最多减少一半。电缆与 1kV 以下架空电杆的最小水平距离为 1.0m，与 1kV 以上架空线杆基础的最小水平距离为 4.0m。

⑤电力电缆与非直流电气化铁路中心的最小水平距离为 3.8m，与直流电气化铁路中心的最小水平距离为 10.8m。

⑥通信电缆管道距建筑物，构筑物基础外缘的间距应为 1.5m。

7.2.5 地下管线（沟）穿越铁路、道路时,应符合下列规定:

1 管顶或沟盖板顶至铁路轨底的垂直净距不应小于 1.2m;

2 管顶至道路路面结构层底的垂直净距不应小于 0.5m;

3 当不能满足上述第 1、2 款要求时,应加防护套管或设管沟。在保证路基稳定的条件下,套管或管沟两端应伸出下列界线以外至少 1.0m:

　　1)铁路路肩外缘线或路堤坡脚线;

　　2)城市型道路路面、公路型道路路肩外缘线或路堤坡脚线;

　　3)铁路或道路的路边排水沟外缘线。

7.2.6 地下综合廊道内管线布置应符合下列规定:

1 综合廊道内应设置人行通道;通道的净宽不应小于 0.8m,局部困难时不应小于 0.6m,净高不应小于 2.2m。

2 电缆与其他管线宜分别布置在通道两侧,见图 7.2.6(a),当布置在同一侧时,电缆应在上,除热力管外其他管线应在下,见图 7.2.6(b)。

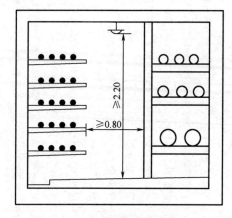 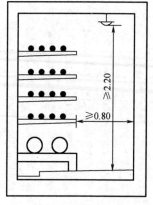

(a) 电缆与其他管线布置　　　　(b) 电缆与其他管线同侧布置

图 7.2.6　地下综合廊道管线布置

●—电缆　○—其他管线

3 不宜布置易燃易爆、有毒、放射性等有危险物料的管线,当布置时不应设置阀门、法兰等容易产生泄漏的装置或部件,且应有安全防护措施。

4 液体倒空排放点,应靠近廊道的集水井。

5 各种管线之间的距离和要求应等同厂房内敷设规定。

6 热力管与电缆(线)、给水管不宜布置在同一综合廊道内,如布置在同一综合廊道时,应有措施,确保电缆、给水管的正常使用不受影响。

7.2.7 地下综合廊道应符合下列规定:

1 宜设不小于 3‰的纵坡和 5‰的横坡,纵坡最低处应设集水井,并应设抽水泵,必要时设纵向带盖排水明沟。

2 应设永久性照明和火灾报警器。

3 应设置安全出口指示标记(含距离)。

4 应设置安装和检修管材出入口。在严寒或寒冷地区,应设置出入口防冻设施。

5 应保持通风。

6 通道范围内不应有设备、管线、支架侵入,通道两侧不应有尖物或突出的硬体。

7 通向担架出口的通道不应有直角转弯。

8 应设置正常出入口与紧急出入口。

9 敷设有放射性、易燃、易爆、有毒物料管线的综合廊道,应有抗震、抗辐射效应和防止地下水渗入的功能。

10 正常出入口应设在最安全并可以通过担架的地段,当有几个正常出入口时,允许只有一个能通过担架,但应满足本条第 7 款的要求。

11 应满足核电厂实物保护要求。

12 在可能出现水淹、火灾、高温、高压管线破裂等事故的综合廊道中应设置紧急出口,其间距不应大于 70m。在尽端式廊道地段,紧急出口间距端头不应大于 10m,在危险性较小地段,上述两间距可扩大 5 倍,但高温、高压管线地段不应扩大。

13 安全级廊道宜布置在稳定的、岩土性质均匀的地基上,地基岩土参数应满足抗震 I 类物项的要求。

7.2.8 在回填土地段的管线,应有防止回填上下沉对管线产生影响的措施。

7.3 架空管线

7.3.1 架空管线布置,应符合下列要求:

1 不应影响交通运输、人流及消防车通行,满足实物保护要求,并应注意对厂容的影响。

2 不应影响建筑物的自然通风和采光以及门窗的使用。

3 燃油管与可燃气体管,不应在与其无生产联系的建筑物外墙或屋顶敷设;不应在存放易燃、可燃物料的堆场和仓库区通过。

4 架空电力线路不应跨越核岛及安全重要建筑物、构筑物、放射性厂房及仓库、屋顶为可燃材料的建筑物和火灾危险性为甲类的厂房、仓库,以及储存易燃、可燃液体和气体的储罐;且不宜跨越永久性建筑物,当必须跨越时,应满足其带电距离最小高度要求,建筑物屋顶应采取相关防护措施。500kV 及以上线路不应跨越长期住人的建筑物。

5 沿建筑物外墙架设的管线,宜管径较小、不产生推力,且建筑物、构筑物的生产与管内介质互不引起腐蚀、易燃的危险。

6 多管共架敷设时,管道的排列方式及布置尺寸应满足安全、美观的要求,并应便于管道安装和维修,应确保管架荷载分布合理和避免相互影响。

7.3.2 架空管架与建筑物、构筑物之间的最小水平净距宜符合表7.3.2的规定。

表 7.3.2　管架与建筑物、构筑物之间的最小水平净距(m)

建筑物、构筑物名称		管架
建筑物	有门窗的墙壁外缘或凸出部分外缘	3.0
	无门窗的墙壁外缘或凸出部分外缘	1.5

建筑物、构筑物名称		管架
标准轨距铁路	中心线	3.8
	边沟边缘	1.0
道路		1.0
人行道边缘		0.5
厂区围墙(中心线)		1.0
照明及通信杆柱中心		1.0

注:1 表中间距除注明外,管架从最外边线算起;道路为城市型时,自路缘石算起,为公路型时,自路肩边缘算起。

2 本表不适用于低架、管墩及建筑物支撑式的布置方式。

3 输送易燃及可燃液体、可燃气体介质的管线的管架与建筑物、构筑物之间的最小水平间距应符合有关规范的规定。

4 管架与建筑物或围墙之间如果有通行汽车要求时,其间距不应小于6m。

5 表中围墙系指一般的、没有实物保护功能的围墙,架空管架(线)距离有实物保护功能的围墙(控制区、保护区、要害区围墙)的距离,需要根据实物保护相关规定确定。

6 表中的建筑物系指非安全相关建筑物,与安全重要建筑物的距离,需要满足实物保护及核安全相关要求。

7.3.3 架空管架(线)跨越铁路、道路的最小垂直净距宜符合表7.3.3的规定。

表7.3.3 架空管架(线)至铁路、道路等的最小垂直净距(m)

名　称	最小垂直净距	
	输送易燃及可燃液体、可燃气体介质	输送一般介质
铁路(从轨顶算起)	6.0	5.5
道路(从路拱算起)	5.0	
人行道(从道面算起)	2.5	

注:1 表中净空高度除注明者外,管线从防护设施的外缘算起;管架自最低部分算起。

2 架空管架(线)跨越电气化铁路的最小垂直间距应符合有关规范规定;跨越乏燃料运输铁路的最小垂直间距应根据乏燃料运输车辆和乏燃料储存容器高度确定。

3 有大件运输要求或在检修时有大型起吊设备以及有大型消防车通过的道路,应根据需要确定其净空高度。

7.3.4 厂区内架空电力线路与建筑物、构筑物、道路、铁路等的最小水平距离宜符合表 7.3.4 的规定。

表 7.3.4 架空电力线路与建筑物、构筑物、道路、
铁路等的最小水平距离(m)

名　　称			架空电力线路(kV)				
			110	220	330	500	750
核岛及安全重要建筑物、构筑物			4.0	5.0	6.0	8.5	11.0
丙、丁、戊类建筑物、构筑物			4.0	5.0	6.0	8.5	11.0
自然通风冷却塔			4.0	5.0	6.0	8.5	11.0
机械通风冷却塔			4.0	5.0	6.0	8.5	11.0
甲、乙类厂房,甲、乙类仓库,可燃材料堆垛,甲、乙类液体储罐,可燃、助燃气体储罐			不应小于电杆(塔)高度的1.5倍				
丙类液体储罐			不应小于电杆(塔)高度的1.2倍				
标准轨距铁路(杆塔外缘至轨道中心)	铁路与架空电力线路交叉		杆(塔)高加3.1m,无法满足要求时可适当减小,但不得小于30m				
	铁路与架空电力线路平行		杆(塔)高加3.1m,困难时双方协商确定				
道路(杆塔外缘至路缘石或路肩)	道路与架空电力线路交叉	开阔地区	8.0				10.0
		困难地区	5.0	5.0	6.0	8.0	10.0
	道路与架空电力线路平行	开阔地区	最高杆(塔)高				
		困难地区	5.0	5.0	6.0	8.0	10.0
人行道边缘(杆塔外缘至人行道边)			5.0	5.0	6.0	8.0	10.0
厂区围墙(杆塔外缘至围墙中心线)			5.0	5.0	5.0	5.0	5.0
边坡、挡土墙(至坡面、墙面)			5.0	5.5	6.5	8.5	11.0

名　称			架空电力线路(kV)				
			110	220	330	500	750
架空电力线路(kV)(边导线间)	110	开阔地区	平行时,最高杆(塔)高				
	220						
	330						
	500						
	750						
	110	困难地区	5.0	7.0	9.0	13.0	16.0
	220		7.0	7.0	9.0	13.0	16.0
	330		9.0	9.0	9.0	13.0	16.0
	500		13.0	13.0	13.0	13.0	16.0
	750		16.0	16.0	16.0	16.0	16.0
特殊管道		开阔地区	平行时,最高杆(塔)高				
		困难地区	4.0	5.0	6.0	7.5	9.5

注:1　表中净距除注明外,建筑物、构筑物从外墙面或其最凸出部分外缘算起(自然通风冷却塔从零米外壁算起);特殊管道从管道/架突出部分外缘算起;电力线路与丙、丁、戊类建筑物、构筑物、地上特殊管道、边坡及挡土墙之间的最小水平距离从最大计算风偏情况下的边导线算起;架空电力线路边导线之间的距离按无风时计算,但需要按注解 2 中的要求进行校验。

2　架空电力线路与核岛及安全重要建筑物、构筑物、安全厂用水冷却塔的距离,除了满足本表的最小距离外,还应满足安全重要建筑物、构筑物的实物保护要求,考虑杆(塔)倒塌对安全重要建筑物、构筑物的影响因素。

3　路径狭窄地带,两线路杆塔位置交错排列时导线在最大风偏情况下,标称电压 110、220、330、500、750kV 对相邻线路杆塔的最小距离,应分别不小于 3.0、4.0、5.0、7.0、9.5m。

4　特殊管道指架设在地面以上输送易燃、易爆物品的管道,地上其他架空管道可参照地上特殊管道的规定。管道与架空电力线路平行或交叉时,管道应接地。

5　最大风偏的计算方法及技术条件详见相关专业规范。

7.3.5 厂区内架空电力线路与建筑物、构筑物、道路、铁路等的最小垂直距离宜符合表7.3.5的规定。

表7.3.5 架空电力线路与建筑物、构筑物、道路、铁路等
交叉时的最小垂直距离(m)

名　　称			架空电力线路(kV)				
			110	220	330	500	750
建筑物、构筑物			5.0	6.0	7.0	9.0	11.5
标准轨距 铁路 (轨顶)	至轨顶	标准轨	7.5	8.5	9.5	14.0	19.5
		电气轨	11.5	12.5	13.5	16.0	21.5
	至承力索或接触线		3.0	4.0	5.0	6.0	7.0(10)
道路(路拱)			7.0	8.0	9.0	14.0	19.5
边坡、挡土墙(至坡顶、墙顶)			5.0	5.5	6.5	8.5	11.0
架空电力线路(kV)	110		3.0	4.0	5.0	6.0(8.5)	7.0(12)
	220		4.0	4.0	5.0	6.0(8.5)	7.0(12)
	330		5.0	5.0	5.0	6.0(8.5)	7.0(12)
	500		6.0(8.5)	6.0(8.5)	6.0(8.5)	6.0(8.5)	7.0(12)
	750		7.0(12)	7.0(12)	7.0(12)	7.0(12)	7.0(12)
特殊管道(至管道/架突出部分外缘)			4.0	5.0	6.0	7.5	9.5

注:1 表中架空电力线路与其他交叉跨越设施的净距均是在考虑导线最大计算弧垂的情况下计算的,最大计算弧垂的计算方法及技术条件详见相关专业规范。

　　2 架空电力线路不宜在铁路出站信号机以内跨越。

　　3 架空电力线路跨越大、重件设备及模块运输道路时,应满足运输所需的净空要求;跨越消防登高面时,应满足消防登高面所需的净空要求。

　　4 特殊管道指架设在地面以上输送易燃、易爆物品的管道,地上其他架空管道可参照特殊管道的规定。管道与架空电力线路交叉时,管道应接地。

　　5 电力线路与特殊管道的交叉跨越点不应选在管道的阀门、检查井(孔)处。

　　6 表中架空电力线路之间的间距中带括号的数值在电力线路跨越相邻线路杆(塔)顶时用。

8 运 输

8.1 一 般 规 定

8.1.1 核电厂的厂内、外运输应在总平面布置、竖向布置、管线综合时全面考虑、统一安排,合理组织人员交通、货运,保证电厂运输安全、短捷、畅通。

8.1.2 对外运输方式的选择,应结合厂址地区交通运输现状、核电厂总体规划和运输物料特征、来源及去向等因素,对各种运输方式进行技术、安全和经济等综合比较后确定。

对外运输方式可采用公路、水路、铁路进行联合运输。大件设备的运输宜采用水路和公路联运的方式。核电厂不宜建设铁路专用线,可利用国家或地方的铁路货站转运。

8.1.3 扩建核电厂的厂内、外运输,应合理利用或改造已有的运输设施。

8.1.4 核电厂的厂内、外运输,应满足在建造和运行期间大件设备和大型模块运输、装卸对道路设施和作业场地的要求。

8.1.5 厂内运输在保证安全前提下,应对各种运输方式进行技术经济综合比较后择优选择,并应符合下列规定:

1 核电厂引入铁路时,应充分发挥其运输能力,并可直接引入生产厂房,避免二次倒运。

2 厂内各车间、仓库之间或码头与车间、仓库之间,宜采用无轨运输。根据物料数量、单件重量及其外形尺寸,应选用合适的交通工具。

8.1.6 厂内、外放射性物质的运输,应满足现行国家标准《放射性物质安全运输规程》GB 11806 的有关规定。

8.1.7 核电厂交通运输设计除应执行本章规定外,尚应符合国家现行标准《Ⅲ、Ⅳ级铁路设计规范》GB 50012、《厂矿道路设计规范》GBJ 22、《海港总体设计规范》JTS 165 和《河港工程总体设计规范》JTJ 212 的有关规定。

8.2 中转站(中转码头)

8.2.1 当核电厂不能直接由铁路专用线或公路或水路将燃料和建造期间的大件设备运送到厂区或将乏燃料运送到后处理工厂,而是由铁路专用线或公路或水路运至附近路网车站或企业车站或码头转运时,应在该车站或码头附近建立中转站或中转码头。

8.2.2 中转站或中转码头应符合铁路和航运规划,靠近铁路车站或码头的地段可就近引接通信、电力、给水、排水、热力等管线。

8.2.3 中转站(中转码头)场地设计标高应与附近车站、码头标高相适应,但不应低于 50 年一遇的洪水位。

8.2.4 乏燃料和放射性废物的运输的中转站或中转码头宜独立成区。中转站应设有铁路到发线、牵出线、走行线、道路、汽车回转场地、管理室等,并有通信、信号、电力、给水、排水、热力、管线等必要的公用设施。中转码头根据作业情况,应设置必要的运转与服务设施。

8.2.5 中转站铁路线有效长度的计算应符合下列规定:

1 到发线有效长度应按规定的系列选用。

2 牵出线宜按到发线有效长度计算,在困难条件下,调车作业较少时,可按到发线有效长度一半计算。

3 当条件许可时,可利用走行线进行调车作业而不专设牵出线。但线路平、纵断面及瞭望条件等应符合调车作业的要求,并应有安全防护措施。

4 安全线有效长度不应小于 50m。

8.2.6 中转站不宜设专用机车,可由当地车站、邻近企业协作解决。

8.3 铁　　路

8.3.1 核电厂引入铁路专用线应与其他运输方式进行技术经济比较后确定,并应具备下列条件:

1 应具备修建铁路专用线条件,满足大件设备、大型模块、放射性废物和新、乏燃料运输要求;

2 应接轨便捷、工程量小、取送作业方便;

3 货物应以铁路运输最为安全可靠,或发货、卸车地点已确定采用铁路运输。

8.3.2 接轨点位置选择,应按下列要求确定:

1 主要方向的列车,不应改变运行方向通过接轨点;

2 接轨点的位置或有车辆取送作业的设施位置,应避免车辆取送作业与路网铁路正线平面交叉;

3 新建铁路专用线应与路网车站接轨,并与站内正线或到发线接轨。

8.3.3 核电厂铁路专用线设计的技术标准,宜采用铁路Ⅳ级。

8.3.4 当铁路专用线由核电厂自行经营管理、且核电厂与路网之间实行车辆交接时,可自设编组站,负责列车到发、交接、解编、集结等业务。站场线路有效长度计算应符合本规范第8.2.5条的规定。

8.3.5 厂内铁路线及运输设施的布置,应与总平面布置及竖向布置统一考虑,并应符合下列要求:

1 应满足生产要求,减少折角车流和物料倒运;

2 厂内铁路线宜避免与主干道交叉,根据人流、物流情况,应设置相应的道口安全防护设施;

3 线路的平面、断面,线路两侧建筑物、构筑物等有关设施的布置,应符合现行国家标准《Ⅲ、Ⅳ级铁路设计规范》GB 50012 的有关规定。

8.3.6 装卸线的道床设计,除应按现行国家标准《Ⅲ、Ⅳ级铁路设

计规范》GB 50012 的有关规定外,尚应符合下列要求:

    1 酸、碱类物料的装卸线,应为防腐的暗道床或整体道床;

    2 应便于调车和装卸操作人员作业;

    3 应便于线路的维修、养护;

    4 应便于清扫散落物及排水。

8.3.7 铁路建筑限界,应符合现行国家标准《标准轨距铁路建筑限界》GB 146.2 的有关规定。

8.3.8 机车牵引乏燃料重车时,在它们之间应设置一节隔离车,隔离车可用普通敞车。

8.3.9 厂房与编组站之间车辆的牵引,应自备牵引机车,并应设机车库。

8.3.10 在铁路穿越实物保护区的实体屏障处,应设置栅门。该栅门应具备与实体屏障相同的保护功能。在无火车通行时,铁路道岔不得朝向保护区方向。

8.4 道 路

8.4.1 厂外道路设计,应按国家现行标准《厂矿道路设计规范》GBJ 22、《公路工程技术标准》JTG B01 的有关规定执行。

8.4.2 厂外道路设计,应坚持节约用地的原则,不占或少占耕地,便利农田排灌,重视水土保持和环境保护;应贯彻因地制宜、就地取材的原则,降低工程造价。

8.4.3 厂外道路应设置不同方向的主要和次要进厂道路,道路等级应符合下列要求:

    1 主要进厂道路宜采用二级公路标准;

    2 次要进厂道路宜采用三级公路标准;

    3 厂外大件运输道路应与进厂道路结合规划,设计标准宜根据实际运输要求确定。

8.4.4 厂内道路布置应符合下列要求:

    1 应满足生产、运输、安装、检修、消防及环境等要求;

2 应有利于各建筑群的功能分区；

3 应符合物料流程的要求，使厂内各建筑物、构筑物之间物料运输顺直、短捷；

4 宜平行或垂直于主要建筑物、构筑物；

5 主厂房建筑群四周应设环形道路，其他区道路设置应符合现行国家标准《建筑设计防火规范》GB 50016 的有关规定；

6 人员交通、一般物流与放射性物流不宜混行；

7 应与竖向设计相协调，有利于场地及道路的雨水排除。

8.4.5 厂内道路宜分为主干道、次干道、支道、车间引道和人行道。

8.4.6 按照行驶的运输车辆不同，道路结构形式宜分为轻型路和重型路。

8.4.7 厂内道路设计应考虑建造、检修期间大件设备的运输与吊装要求。有大件设备运输的生产装置区或生产设施区与厂外公路之间，应有通畅的运输线路，并应符合大件运输的规定。

8.4.8 厂内道路主要技术指标可按表8.4.8规定选用，其他应符合现行国家标准《厂矿道路设计规范》GBJ 22 的有关规定。

表 8.4.8　厂内道路主要技术指标

名　　称		类　　别	指　　标
路面宽度 （m）		主干道	7～9
		次干道	6～7
		支道	3.5～4.0
		车间引道	与车间大门宽度相适应
		人行道	1.5～2.0
转弯半径(m)	最小圆曲线半径	行驶单辆汽车时	不宜小于15
		行驶拖挂车时	不宜小于20
	交叉口路面内边缘 最小转弯半径	主干道	12
		次干道	9
		支道	9

名 称	类 别	指 标
最大纵坡(%)	主干道	4
	次干道	6
	支道	8
	车间引道	9
计算行车速度(km/h)	主干道、次干道	15
最小视距(m)	停车视距	15
	会车视距	30
	交叉口停车视距	20

注:1　主要进厂干道的道路宽度取上限。

　　2　车间引道及场地条件困难的主、次干道和支道。除陡坡处外,表列路面内边缘最小转弯半径可减少 3m(6m 半径除外)。

　　3　通行电瓶车的道路最大纵坡不宜大于 4%。

　　4　一般情况下,重型路最大纵坡不宜大于 4%,宽度不宜小于 9m,转弯内半径不宜小于 25m,扫空宽度应根据运输设备的尺寸确定;大型设备和结构模块指标需根据模块的尺寸、重量及运输工具的要求确定。

8.4.9　厂内道路路面等级、面层类型,应根据道路使用要求和当地的气候、路基状况、材料供应和施工条件等因素确定,按现行行业标准《公路水泥混凝土路面设计规范》JTG D40 或《公路沥青路面设计规范》JTG D50 的有关规定进行设计,并应符合下列要求:

　　1　厂内道路宜采用水泥混凝土路面;

　　2　在放射性检修车间和放射性废物库等附近,宜用易于更换的如沥青类材料路面;

　　3　供施工期间使用的永久性道路路面设计,应考虑分期实施和过渡的结构形式。

8.4.10　厂内道路可视道路所处环境采用城市型或公路型。

8.4.11 消防车道的布置应符合下列规定：

1 应与厂区道路连通，且距离短捷；

2 应避免与铁路平交。当必须平交时，应设备用车道；两车道之间的距离，不应小于进入厂内最长列车的长度；

3 车道的宽度，不应小于 4.0m。

8.4.12 人行道的布置应符合下列规定：

1 人行道的宽度不宜小于 0.75m，沿主干道布置时，可采用 1.5m，当人行道的宽度超过 1.5m 时，宜按 0.5m 倍数递增；

2 人行道边缘至建筑物外墙的净距，当屋面为无组织排水时，可采用 1.5m；当屋面为有组织排水时，应根据具体情况确定；

3 当人行道的边缘至准轨铁路中心线的距离小于 3.75m 时，以及处于危险地段的人行道，应设置防护栏杆。

8.4.13 厂区内道路的互相交叉，宜采用平面交叉。平面交叉应设置在直线路段，并宜正交。当需要斜交时，交叉角不宜小于 45°。

8.4.14 厂内主、次干道平面交叉处的纵坡宜按现行国家标准《厂矿道路设计规范》GBJ 22 有关规定执行。

8.4.15 道路边缘至相邻建筑物、构筑物和铁路的最小净距，宜符合表 8.4.15 的规定。

表 8.4.15　道路边缘至相邻建筑物、构筑物及铁路的最小净距

序号	相邻建筑物、构筑物名称	最小净距(m)
1	建筑物、构筑物外墙面：	—
	(1)当建筑物面向道路一侧无出入口时	1.5
	(2)当建筑物面向道路一侧有出入口但不通行汽车时	3.0
	(3)当建筑物面向道路一侧有出入口且通行汽车时	7.0
2	铁路(中心线)	3.8

序号	相邻建筑物、构筑物名称	最小净距(m)
3	各种管架及构筑物支架(外边缘)	1.0
4	照明电杆(中心线)	0.5
5	围墙(内边缘)	1.0
6	绿化树木(中心)	见本规范表9.2.8

注:1 表中最小净距:城市型道路自路面边缘算起,公路型道路自路肩边缘算起。

2 当厂内道路与建筑物、构筑物之间设置明沟、管线等或进行绿化时,应按需要另行确定其间距。

8.5 水 路

8.5.1 核电厂水路运输的港址,应与厂址选择同时进行,并结合地区交通运输现状和规划,进行全面分析比较确定。为运输大件设备和乏燃料,可建造 1000t~3000t 级码头。

8.5.2 根据船舶尺度要求,应充分利用河口深槽、泻湖(包括泻湖入海口)或天然海港建港。

8.5.3 港口应有足够的陆、水域面积。港口水域应选择在有天然掩护,浪、流作用小,泥砂运动较弱的地区。在冰冻地区,应考虑冰凌对港口的影响。

8.5.4 港内水域应包括港内航道、船舶制动水域、回旋水域、码头前沿停泊水域等,必要时还可设置港内锚地,上述水域应根据具体情况组合设置。

8.5.5 港内船舶制动水域,宜设在进港方向的直线上,当布置有困难时,可设在半径不小于 3 倍~4 倍船长的曲线上。

8.5.6 海港的船舶回旋水域,应设在方便船舶靠离码头或进出港的地点,其尺度根据自然条件和港作拖轮配备等因素,可按设计船长 1.5 倍~2.5 倍的回旋圆直径设置。

8.5.7 河口港的船舶回旋水域,其宽度(垂直水流方向)和长度

(沿水流方向)应根据河段的水流速度,分别为单船或顶推船队长度的 1.5 倍～2.5 倍和 2.5 倍～4.0 倍。

8.5.8 码头及其陆域作业区,应节约用地,不占或少占良田,少拆迁,宜设在非居住区范围内,避免另行征地和拆迁。

8.5.9 码头型式应根据地形、地质、水文、货物装卸工艺等因素确定。核电厂宜采用顺岸重力式码头。

8.5.10 码头前沿停泊水域宽度,应符合下列规定:

1 海港码头应为设计船舶宽的 2 倍;

2 顺岸布置的河港码头不应占主航道,其宽度应根据河段的水流情况确定,宜为设计船型宽度的 2.0 倍～2.5 倍。

8.5.11 码头泊位长度(L_b)应满足船舶靠离、系缆和装卸作业的要求,并应符合下列规定:

1 海港码头泊位长度计算应符合下列规定:

1)有掩护的码头泊位长度,仅为一个泊位时(图 8.5.11-1),码头泊位长度应按下式计算:

$$L_b = L + 2d \qquad (8.5.11\text{-}1)$$

式中:L——设计船长(m);

d——富裕长度(m),应按表 8.5.11-1 的规定选取。

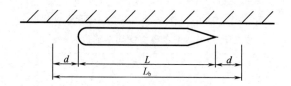

图 8.5.11-1 有掩护的海港码头一个泊位长度

2)同一个码头上连续布置两个以上泊位时(图 8.5.11-2),码头泊位长度应按下列公式分别计算:

端部泊位 $\qquad L_b = L + 1.5d \qquad (8.5.11\text{-}2)$

中间泊位 $\qquad L_b = L + d \qquad (8.5.11\text{-}3)$

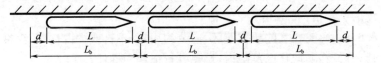

图 8.5.11-2　有掩护的海港码头两个以上泊位长度

表 8.5.11-1　海港码头泊位富裕长度

L(m)	<40	41~85	86~150	151~200	201~230	231~280	281~320	>200
d(m)	5	8~10	12~15	18~20	22~25	26~28	30~33	35~40

3） 开敞式码头泊位长度应按下式计算：

$$L_b = (1.4 \sim 1.5)L \qquad (8.5.11\text{-}4)$$

2 河运直立式码头泊位长度计算应符合下列规定：

1） 仅为一个泊位时（图 8.5.11-1），码头泊位长度应按下式计算：

$$L_b = L + 2d \qquad (8.5.11\text{-}5)$$

2） 同一个码头上连续布置两个以上泊位时（图 8.5.11-2），码头泊位长度应按下列公式分别计算：

端部泊位　　　　$L_b = L + 1.5d$　　　　（8.5.11-6）

中间泊位　　　　$L_b = L + d$　　　　　　（8.5.11-7）

式中：L——设计船长（m）；

　　　d——富裕长度（m），按表 8.5.11-2 的规定选取。

表 8.5.11-2　河运直立式码头泊位富裕长度

L(m)	$L \leqslant 40$	$40 < L \leqslant 85$	$85 < L \leqslant 150$	$150 < L \leqslant 200$
d(m)	5	8~10	12~15	18~20

8.5.12　码头前沿设计水深，应保证设计船型在满载时安全地靠离和顺利进行装卸作业，并应符合下列规定：

1　海港码头前沿设计水深，在可行性研究或方案阶段，当自然资料不足时，可按下式计算：

$$D = K \cdot T \qquad (8.5.12)$$

式中:D——海港码头前沿设计水深;

K——系数,有掩护码头取 1.10～1.15,开敞式码头取 1.15～1.20;

T——设计船型满载吃水(m)。

2 河港码头前沿水域设计水深,宜采用设计船型的满载吃水加 0.2m～0.5m 的最小富裕水深。如因回淤需另加富裕水深,其增加值不应小于挖泥船的一次最小挖泥厚度。

8.5.13 码头陆域作业区的布置,应根据码头型式、物料特征、装卸作业需要的场地、建筑物、构筑物、道路、临时存放场、管线等因素进行,达到装卸安全,运输畅通。

8.5.14 码头地面的使用荷载,应根据物料、起重运输机械等荷载确定。在有效的管理和控制下,也可按其使用情况,分块确定使用荷载。

8.5.15 码头陆域作业区的场地设计标高,应与码头前沿高程相适应。作业区应有 3‰～10‰的排水坡度。

8.5.16 港口、码头及其作业区设计,除应执行本规范外,尚应符合现行行业标准《海港总体设计规范》JTS 165 及《河港工程总体设计规范》JTJ 212 的有关规定。

9 绿 化

9.1 一 般 规 定

9.1.1 核电厂绿化应根据自然条件,厂内各区的功能和性质,在总平面布置、竖向布置以及室外管线综合布置时应统一考虑。

9.1.2 核电厂保护区内不应绿化。

9.1.3 核电厂绿地率宜控制在5%～10%。

9.2 绿 化 布 置

9.2.1 厂前建筑区和员工活动较多的室外场所应为核电厂的重点绿化地段;其他对环境洁净要求高或噪声大的车间附近宜适当绿化。

9.2.2 厂区需要进行环境监测的地段,可在适当地点栽培监测环境污染指示性植物。

9.2.3 屋外配电装置内的空地宜进行绿化。

9.2.4 在道路交叉口和铁路道口的绿化布置应满足视距要求。

9.2.5 冷却塔区周围的空地在不影响冷却效果和不污染水质的前提下宜进行绿化。

9.2.6 厂区有监控要求的围栏内外6m范围内不应种植乔木和灌木等,保护区实体屏障隔离带内不得绿化。

9.2.7 挡土墙、护坡宜进行垂直绿化。

9.2.8 树木与建筑物、构筑物及管线的最小间距应符合表9.2.8的规定。

表 9.2.8 树木与建筑物、构筑物及管线的最小间距(m)

名 称	至乔木中心	至灌木中心
建筑物外墙(有窗)	3.0～5.0	2.0
建筑物外墙(无窗)	2.5	1.5

名　　称	至乔木中心	至灌木中心
挡土墙顶内和墙脚外	2.0	0.5
围墙(高 2m 以上)	2.0	1.0
标准轨铁路中心线	5.0	3.5
道路路面边缘	1.0	0.5
人行道边缘	0.5	0.5
排水明沟边缘	1.0	0.5
给水管、排水管	1.0~1.5	不限
热力管	2.0	2.0
氢气管、乙炔管	2.0	1.5
氧气管、压缩空气管	1.5	1.0
电缆	2.0	0.5
冷却塔	进风口高度的 1.5 倍	不限
天桥、栈桥的柱及电杆中心	2.0~3.0	不限

注:1　树木至建筑物外墙(有窗)的距离,当树冠直径小于或等于 5.0m 时采用
3.0m,大于 5.0m 时采用 5.0m。

2　乔木、灌木至有监控要求的围栏的间距要求应按本规范第 9.2.6 条的规定
执行。

9.3　树 种 选 择

9.3.1　核电厂绿化树种的选择应根据树木所处环境和自然条件
确定,并应符合下列要求:

1　应符合安全、防火和卫生要求;

2　绿化应选用常绿树、乡土树木和花草为主;

3　具有较强的适应周围环境及净化空气的能力;

4　应易于繁殖、移植和管理。

9.3.2　重点绿化地段可选用部分观赏植物,并作空间艺术处理。

9.3.3　冷却塔附近可铺草皮,在不影响冷却塔冷却效率的前提
下,可种植喜潮湿、耐潮湿的树种。

9.3.4 屋外配电装置内的空地绿化应以覆盖地被类植物为主,也可种植少量灌木或花卉。

9.3.5 对空气洁净度要求较高的建筑附近不应种植散布花絮、绒毛等污染空气的树木。

9.3.6 非放射性仓库周围宜种植树干直、分叉点高、病虫害少的乔木和灌木。化学试剂库周围宜种植生长高度不超过 0.15m、含水分多的常绿草皮。

10 主要技术经济指标

10.0.1 全厂总体规划与厂区总平面设计中应列出主要技术经济指标表。当核电厂分期建设时,应在技术经济指标表中分别列出本期工程与规划容量的技术经济指标值。

10.0.2 厂址技术经济指标宜包括表10.0.2所列项目内容。

表 10.0.2 厂址技术经济指标

编号	内容			单位	数量	备注
1	工程总用地			hm²		陆域: 海域:
	(1)厂区工程用地			hm²		
		其中	生产区	hm²		
			厂前建筑区	hm²		
	(2)厂外工程总用地			hm²		
	其中	其他设施区	现场服务区	hm²		
			运行安全技术支持中心	hm²		
			应急指挥中心	hm²		
			武警营房	hm²		
			消防站	hm²		
			厂前停车场	hm²		
			淡水厂(生产、生活、消防用水处理厂)	hm²		
			气象站	hm²		
			环境监测站	hm²		

编号	内 容			单位	数量	备 注
1	其中	施工力能区	施工供水站	hm²		
			施工变电站	hm²		
			施工供热(气)站	hm²		
		交通运输设施	主要进厂道路	hm²		道路长度 km
			次要进厂道路	hm²		道路长度 km
			大件码头	hm²		码头 t 级
			铁路专用线	hm²		线路长度 km
		取、排水设施	取水口	hm²		
			排水口	hm²		
			厂外取水管线	hm²		
			厂外排水管线	hm²		
			专用水源地(库)	hm²		
		防、排洪设施		hm²		
		弃、取土场		hm²		
		其他		hm²		
	(3)施工区用地			hm²		
	其中	施工生产区		hm²		
		施工生活区		hm²		
2	工程用海总面积(涉海工程)			hm²		
	其中	工程填海		hm²		
		取、排水构筑物		hm²		
		温排水排放用海		hm²		
		大件码头(包括港池)		hm²		
		其他		hm²		

编号	内 容		单位	数量	备 注
3	土石方工程总量	挖方(实方)	万 m³		
		填方	万 m³		
		余方	万 m³		
	其中	厂区 挖方(实方)	万 m³		
		厂区 填方	万 m³		
		厂区 余方	万 m³		
		其他设施区 挖方(实方)	万 m³		
		其他设施区 填方	万 m³		
		其他设施区 余方	万 m³		
		施工力能区 挖方(实方)	万 m³		
		施工力能区 填方	万 m³		
		施工力能区 余方	万 m³		
		厂外道路 挖方(实方)	万 m³		
		厂外道路 填方	万 m³		
		厂外道路 余方	万 m³		
		施工区 挖方(实方)	万 m³		
		施工区 填方	万 m³		
		施工区 余方	万 m³		
4	征地边界围栏长度		m		
5	拆迁量		m²		
6	搬迁人口		人		
7	其他				

注:1 现场服务区主要包括值班公寓、综合服务楼及其他必要的基层服务网点。

2 运行安全技术支持中心包括培训中心、大修技术支持和宣传展览中心。

3 其他用地包括厂外必须的边坡、挡土墙、填海三角地及陆域护岸。

10.0.3 厂区总平面布置主要技术经济指标宜包括表 10.0.3 所列项目内容。

表 10.0.3 厂区总平面技术经济指标

编号	内　　容		单位	数量	备注
1	厂区用地	规划容量	hm²		
		本期工程	hm²		
2	单位容量用地	规划容量	m²/kW		
		本期工程	m²/kW		
3	建筑物、构筑物用地		m²		
4	露天设备用地		m²		
5	露天堆场用地		m²		
6	建筑系数		%		
7	道路广场用地		m²		
	其中	重型道路用地	m²		
		轻型道路用地	m²		
8	道路广场系数		%		
9	厂区内场地利用面积		m²		
10	利用系数		%		
11	厂区绿化用地面积		m²		
12	厂区绿地率		%		
13	厂区土石方工程量	挖方	万 m³		
		填方	万 m³		
		余方	万 m³		
14	主要管道（沟）长度	循环冷却水供排水管道	供水管道	m	
			排水管道	m	
		安全厂用水廊道	进水廊道	m	
			排水管道	m	

编号	内　容			单位	数量	备注
14	主要管道（沟）长度	放射性废液排放管沟		m		
		电气廊道	500kV	m		
			220kV	m		
		综合技术廊道		m		
15	厂区围栏长度	控制区围栏		m		
		保护区围栏		m		
		要害区围栏		m		
16	其他					

10.0.4 各项技术经济指标，应按本规范附录 C 的规定方法计算。

10.0.5 核电厂厂区用地面积及单位容量用地面积应符合核电厂厂区建设用地指标的规定。

附录 A 挖、填方边坡坡度允许值

A. 0. 1 在边坡保持整体稳定的条件下,岩质挖方边坡开挖的坡度允许值应根据当地实际经验,按工程类比的原则并结合已有稳定边坡的坡度值分析确定。对无外倾软弱结构面的边坡可按表 A. 0. 1 的规定确定。

表 A. 0. 1 岩质挖方边坡坡度允许值

边坡岩体类型	风化程度	坡度允许值(高宽比)		
		坡高 $H<8m$	$8m \leqslant H<15m$	$15m \leqslant H<25m$
Ⅰ类	微风化	1:0.00~1:0.10	1:0.10~1:0.15	1:0.15~1:0.25
	中等风化	1:0.10~1:0.15	1:0.15~1:0.25	1:0.25~1:0.35
Ⅱ类	微风化	1:0.10~1:0.15	1:0.15~1:0.25	1:0.25~1:0.35
	中等风化	1:0.15~1:0.25	1:0.25~1:0.35	1:0.35~1:0.50
Ⅲ类	微风化	1:0.25~1:0.35	1:0.35~1:0.50	—
	中等风化	1:0.35~1:0.50	1:0.50~1:0.75	—
Ⅳ类	中等风化	1:0.50~1:0.75	1:0.75~1:1.00	—
	强风化	1:0.75~1:1.00	—	—

注:1 边坡岩体类型应按现行国家标准《建筑边坡工程技术规范》GB 50330 附录 A 岩质边坡的岩体分类。

2 Ⅳ类强风化包括各类风化程度的极软岩。

A. 0. 2 土质挖方边坡的坡度允许值应根据当地实际经验,按工程类比的原则并结合已有稳定边坡的坡度值分析确定。当无经验,且土质均匀良好、地下水贫乏、无不良地质现象和地质环境条件简单时,可按表 A. 0. 2 的规定确定。

表 A.0.2 土质挖方边坡坡度允许值

边坡土体类别	密实度或状态	坡度允许值(高宽比)	
		坡高小于 5m	坡高为 5m～10m
碎石土	密实	1：0.35～1：0.50	1：0.50～1：0.75
	中密	1：0.50～1：0.75	1：0.75～1：1.00
	稍密	1：0.75～1：1.00	1：1.00～1：1.25
黏性土	坚硬	1：0.75～1：1.00	1：1.00～1：1.25
	硬塑	1：1.00～1：1.25	1：1.25～1：1.50

注：1 表中碎石土的充填物为坚硬或硬塑状态的黏性土。

2 对于砂土或充填物为砂土的碎石土,其边坡坡度允许值均按自然休止角确定。

A.0.3 填方边坡坡度允许值,如基底地质条件良好,可根据其厚度、填料性质等因素按表 A.0.3 的规定确定。

表 A.0.3 填方边坡坡度允许值

边坡填料类别	压实系数 λ_c	边坡允许值(高宽比)			
		填土厚度 H(m)			
		$H \leqslant 5$	$5 < H \leqslant 10$	$10 < H \leqslant 15$	$15 < H \leqslant 20$
碎石、卵石	0.94～0.97	1：1.25	1：1.50	1：1.75	1：2.00
砂夹石(其中碎石、卵石占全重 30%～50%)		1：1.25	1：1.50	1：1.75	1：2.00
土夹石(其中碎石、卵石占全重 30%～50%)	0.94～0.97	1：1.25	1：1.50	1：1.75	1：2.00
粉质黏土、黏粒含量 $\rho_c \geqslant 10\%$的粉土		1：1.50	1：1.75	1：2.00	1：2.25

注：当压实土厚度大于 20m 时,可设计成台阶进行压实填土的施工。

附录 B 土壤松散系数

B.0.1 土壤松散系数宜符合表 B.0.1 的规定。

表 B.0.1 土壤松散系数

土的分类	土的级别	土壤的名称	最初松散系数	最终松散系数
一类土 （松散土）	I	略有黏性的砂土，粉末腐殖土及疏松的种植土；泥炭（淤泥）（种植土、泥炭除外）	1.08～1.17	1.01～1.03
		植物性土、泥炭	1.20～1.30	1.03～1.04
二类土 （普通土）	II	潮湿的黏性土和黄土；软的盐土和碱土；含有建筑材料碎屑、碎石、卵石的堆积土和种植土	1.14～1.28	1.02～1.05
三类土 （坚土）	III	中等密实的黏性土或黄土；含有碎石、卵石或建筑材料碎屑的潮湿的黏性土或黄土	1.24～1.30	1.04～1.07
四类土 （砂砾坚土）	IV	坚硬密实的黏性土或黄土；含有碎石、砾石（体积在10%～30%重量在25kg以下的石块)的中等密实黏性土或黄土；硬化的重盐土；软泥灰岩（泥灰岩、蛋白石除外）	1.26～1.32	1.06～1.09
		泥灰石、蛋白石	1.33～1.37	1.11～1.15

土的分类	土的级别	土壤的名称	最初松散系数	最终松散系数
五类土 （软土）	Ⅴ～Ⅵ	硬的石炭纪黏土；胶结不紧的砾岩；软的、节理多的石灰岩及贝壳石灰岩；坚实的白垩；中等坚实的页岩、泥灰岩		
六类土 （次坚土）	Ⅶ～Ⅸ	坚硬的泥质页岩；坚实的泥灰岩；角砾状花岗岩；泥灰质石灰岩；黏土质砂岩；云母页岩及砂质页岩；风化的花岗岩、片麻岩及正常岩；滑石质的蛇纹岩；密实的石灰岩；硅质胶结的砾岩；砂岩；砂质石灰质页岩	1.30～1.45	1.10～1.20
七类土 （坚岩）	Ⅹ～ⅩⅢ	白云岩；大理石；坚实的石灰岩、石灰质及石英质的砂岩；坚硬的砂质页岩；蛇纹岩；粗粒正长岩；有风化痕迹的安山岩及玄武岩；片麻岩；粗面岩；中粗花岗岩；坚实的片麻岩；粗面岩；辉绿岩；玢岩；中粗正常岩		
八类土 （特坚石）	ⅩⅣ～ⅩⅥ	坚实的细粒花岗岩；花岗片麻岩；闪长岩；坚实的玢岩、角闪岩、辉长岩、石英岩；安山岩；玄武岩；最坚实的辉绿岩、石灰岩及闪长岩；橄榄石质玄武岩；特别坚实的辉长岩；石英岩及玢岩	1.45～1.50	1.20～1.30

注：1 土的级别为相当于一般 16 级土石分类级别。
  2 一至八类土壤，挖方转化为虚方时，乘以最初松散系数；挖方转化为填方时，乘以最终松散系数。

附录 C 技术经济指标计算方法

C.0.1 核电厂工程总用地应包括厂区工程用地、厂外工程用地和施工区用地,计算方法应符合下列要求:

    1 厂区工程用地应按厂区控制区围栏轴线计算,厂外工程用地和施工区用地应按其单项用地计列,其计算方法应符合《电力工程建设项目用地指标(火电厂、核电厂、变电站和换流站)》的有关规定。

    2 厂外取排水管线用地面积应包括各种沟渠、沟道、管道用地。沟渠、沟道应按其外壁计算,管道应按其外径计算;沿地面敷设且并行的多管道应按最外边管道外壁之间宽度计算;架空管架应按管架宽度计算。厂外取排水管线长度应计算至厂区围栏。

    3 进厂道路和厂外各种道路长度均应计算至厂区大门或厂区围栏。

    4 专用水源地(库)用地面积应按取水泵房及相关设施用地边界计算。

    5 弃、取土场地用面积应按设计弃、取土场边缘计算。

C.0.2 建筑物、构筑物用地面积应按下列计算:

    1 新设计的,应按建筑物、构筑物外墙建筑轴线计算;

    2 现有的,应按建筑物、构筑物外墙皮尺寸计算;

    3 设防火堤的贮罐区,应按防火堤轴线计算;未设防火堤的贮罐区,按成组设备的最外边缘计算;

    4 球罐周围有铺砌场地时,应按铺砌面积计算;

    5 冷却塔应按零米外径计算;

    6 水池应按外壁计算;

    7 屋外配电装置应按围栅或围墙轴线内用地面积计算。

C. 0. 3 露天设备用地面积计算应符合下列规定：

1 独立设备应按其实际用地面积计算；

2 成组设备应按设备场地铺砌范围计算，但当铺砌场地超出设备基础外缘 1.2m 时，应计算至设备基础外缘 1.2m 处。

C. 0. 4 露天堆场用地面积应按存放场场地边缘线计算。

C. 0. 5 建筑系数应按下式计算：

$$建筑系数 = \frac{\dfrac{建筑物、构筑物}{用地面积} + \dfrac{露天设备}{用地面积} + \dfrac{露天堆场}{用地面积}}{厂区用地面积} \times 100\%$$

(C. 0. 5)

C. 0. 6 道路广场系数应按下式计算：

$$道路广场系数 = \frac{厂区道路路面及广场地坪面积}{厂区用地面积} \times 100\%$$

(C. 0. 6)

C. 0. 7 厂区内场地利用面积计算应包括下列内容，并应符合下列规定：

1 厂区内建筑物、构筑物用地面积计算应符合本规范附录第 C. 0. 2 条的规定。

2 铁路用地面积应按线路长度乘以路基宽度（路基宽度取 5m）计算。

3 厂区道路路面及广场地坪面积计算应符合下列规定：

1）城市型道路应按路面宽度计算；

2）公路型道路应按路肩外缘计算；

3）车间引道及人行道用地面积应按设计用地面积计算；

4）广场地坪应按其图形计算。

4 厂区地下沟管道用地面积应按管道外径计算，沟渠、沟道应按其外壁计算，当管径或沟宽小于 0.5m 时可按 0.5m 宽计算。

5 架空管线用地面积应按管架宽度计算。

6 室外作业场地应按实际使用面积计算。

C. 0. 8 利用系数应按下式计算：

$$利用系数 = \frac{厂区内场地利用面积}{厂区用地面积} \times 100\% \quad (C.0.8)$$

C.0.9 绿化用地面积应按草地、花坛、水面、苗圃、成带或成块绿化以及单株种植等的绿化周边界限所包围的面积计算。

C.0.10 绿地率应按下式计算：

$$绿地率 = \frac{绿化占地面积}{厂区占地面积} \times 100\% \quad (C.0.10)$$

C.0.11 主要管沟管廊的长度应按照单管(单孔)计算。

C.0.12 保护区、要害区围栏为双层通透式围栏,其长度应按照中心线长度的 2 倍计算。

本规范用词说明

1 为便于在执行本规范条文时区别对待,对要求严格程度不同的用词说明如下:

  1)表示很严格,非这样做不可的:
    正面词采用"必须",反面词采用"严禁";
  2)表示严格,在正常情况下均应这样做的:
    正面词采用"应",反面词采用"不应"或"不得";
  3)表示允许稍有选择,在条件许可时首先应这样做的:
    正面词采用"宜",反面词采用"不宜";
  4)表示有选择,在一定条件下可以这样做的,采用"可"。

2 条文中指明应按其他有关标准执行的写法为:"应符合……的规定"或"应按……执行"。

引用标准名录

《建筑地基基础设计规范》GB 50007

《Ⅲ、Ⅳ级铁路设计规范》GB 50012

《建筑设计防火规范》GB 50016

《厂矿道路设计规范》GBJ 22

《土方与爆破工程施工及验收规范》GB 50201

《建筑边坡工程技术规范》GB 50330

《标准轨距铁路建筑限界》GB 146.2

《放射性物质安全运输规程》GB 11806

《铁路路基设计规范》TB 10001

《海港总体设计规范》JTS 165

《河港工程总体设计规范》JTJ 212

《公路工程技术标准》JTG B01

《公路水泥混凝土路面设计规范》JTG D40

《公路沥青路面设计规范》JTG D50

中华人民共和国国家标准

核电厂总平面及运输设计规范

GB/T 50294 - 2014

条 文 说 明

制 订 说 明

《核电厂总平面及运输设计规范》GB/T 50294—2014,经住房和城乡建设部 2014 年 12 月 2 日以第 646 公告批准发布。

本规范是在《核电厂总平面及运输设计规范》GB/T 50294—1999 的基础上修订而成的,上一版的主编单位是核工业第二研究设计院,参加单位是核工业标准化研究所,主要起草人是施铭达、郭永顺、应汉宗、张栋。本次修订的主要技术内容是:(1)增加厂址选择和实物保护术语;(2)增加节约、集约用地规定和控制指标;(3)对总体规划进行了修改,增加一般规定、防护距离、交通运输和施工区的相关规定;(4)增加核电厂建筑物、构筑物防火规定和核电厂各建筑物、构筑物的最小间距表;(5)增加厂区内架空电力线路与建筑物、构筑物、道路、铁路等的最小距离的规定;(6)对绿化一般规定进行了修改;(7)对主要技术经济指标进行了修改,增加厂址技术经济指标表和厂区总平面技术经济指标表。

本规范修订过程中,编制组对我国已建核电厂的实际状况进行了调研,走访了核电厂和设计院生产一线的技术人员、技术管理人员和工程设计人员。对以往的总平面及运输设计工作实践经验进行了总结,对国内已建和在建核电厂总平面设计资料进行统计分析,使本规范更具有科学性、实用性和可操作性。

为便于广大设计、施工、科研、学校等单位有关人员在使用本规范时能正确理解和执行条文规定,《核电厂总平面及运输设计规范》编制组按章、节、条顺序编制了本标准的条文说明,对条文规定的目的、依据以及执行中需注意的有关事项进行了说明。但是,本条文说明不具备与标准正文同等的法律效力,仅供使用者作为理解和把握标准规订的参考。

目　　次

1 总　则

1.0.1　本条提出了制定核电厂总平面及运输设计规范的指导思想和遵循的原则以及要达到的目的。其内容是贯彻了国务院1986年10月29日发布的《中华人民共和国民用核设施安全监督管理条例》HAF001和国家的基本建设方针，体现当前的经济政策和技术政策，统一设计原则和技术要求，使建设的核电厂安全可靠、技术先进、布置合理，有助于提高核电厂的经济效益、社会效益和环境效益。

1.0.2　本条规定了本规范的适用范围，适用于新建、扩建核电厂含核动力厂的总图运输设计。对核能供热厂、核能海水淡化厂、高温气冷堆等核动力厂，因性质类似亦可参照执行。

1.0.3　《中华人民共和国土地管理法》第一章第三条中明确规定"十分珍惜、合理利用土地和切实保护耕地是我国的基本国策。各级人民政府应采取措施，全面规划，严格管理，保护、开发土地资源，制止非法占有土地的行为"。《国务院关于促进节约集约用地的通知（国发〔2008〕3号）》中提出"切实保护耕地，大力促进节约集约用地，走出一条建设占地少、利用效率高的符合我国国情的土地利用新路子，是关系民族生存根基和国家长远利益的大计，是全面贯彻落实科学发展观的具体要求，是我国必须长期坚持的一条根本方针"。本条增加强调核电厂总平面及运输设计必须贯彻执行国家节约、集约土地和保护耕地的基本国策，特别应重视节约用地，合理用地、千方百计地提高土地利用率。

1.0.4　核电厂总平面设计涉及厂址条件复杂、参与专业多，因此总平面设计方案的确定应因地制宜，依靠技术进步，精心设计，并通过多方案的全面论证和优化设计方案，以力求达到最优化的设计技术要求和目的。

1.0.5 对于扩建工程的总平面设计应合理利用已建现有设施,尽量减少新建行政办公及生活服务设施,以节约投资,但也不能迁就现状。要求通过扩建,使核电厂生产设施配置更趋合理,并重视扩建施工对现有生产的影响。

1.0.6 核电厂总图运输设计是综合性很强的工作,涉及国家颁发的核安全、辐射防护、防火、卫生、交通运输等规定、规范或标准,仅执行本规范是不够的,但也不能在本规范中列出所有应执行的标准、规范,故本条规定在核电厂总平面及运输设计中除执行本规范外,特别规定应严格执行国家相关标准和规范规定,并应符合国家颁布的现行的核安全、辐射防护、防火、安全、交通运输、卫生、环境保护、防洪、抗震、节能、水土保持等有关规范的规定。现列出主要引用的规范、标准和规定如下:

(1)《核电厂厂址选择安全规定》HAF 101 及 HAD 101 导则系列(以下简称《规定》);

(2)《核电厂设计安全规定》HAF 102;

(3)《核电厂营运单位的应急准备和应急响应》HAF 002/01;

(4)《核电厂内部飞射物及其二次效应的防护》HAD 102/04;

(5)《核设施实物保护》(试行)HAD 501/02;

(6)《核动力厂环境辐射防护规定》GB 6249—2011(以下简称《环境规定》);

(7)《放射性物质安全运输规程》GB 11806—2004;

(8)《核电厂应急计划与准备准则－第一部分:应急计划区的划分》GB/T 17680.1—2008;

(9)《核电厂应急计划与准备准则－场内应急设施功能与特性》GB/T 17680.7—2003;

(10)《核电厂防火设计规范》GB/T 22158—2008;

(11)《核电厂常规岛设计防火规范》GB 50745—2012;

(12)《建筑设计防火规范》GB 50016—2014;

(13)《防洪标准》GB 50201—2014；

(14)《工业企业总平面设计规范》GB 50187—2012（以下简称《工企总规》）；

(15)《火力发电厂与变电站设计防火规范》GB 50229—2006；

(16)《钢铁企业总图运输设计规范》GB 50603—2010（以下简称《钢铁总规》）；

(17)《化工企业总图运输设计规范》GB 50489—2009（以下简称《化工总规》）；

(18)《核电厂抗震设计规范》GB 50267—1997；

(19)《建筑边坡工程技术规范》GB 50330—2013；

(20)《建筑地基基础设计规范》GB 50007—2011；

(21)《建筑地基基础施工质量验收规范》GB 50202—2002；

(22)《土方与爆破工程施工及验收规范》GB 50201—2012；

(23)《厂矿道路设计规范》GBJ 22—1987（以下简称《厂道规》）；

(24)《标准轨距铁路建筑限界》GB 146.2—1983；

(25)《Ⅲ、Ⅳ级铁路设计规范》GB 50012—2012（以下简称《工轨规》）；

(26)《66kV 及以下架空电力线路设计规范》GB 50061—2010；

(27)《110kV～750kV 架空输电线路设计规范》GB 50545—2010；

(28)《大中型火力发电厂设计技术规程》GB 50660—2011（以下简称《火电设规》）；

(29)《火力电厂总图运输设计技术规程》DL/T 5032—2005（以下简称《火电总规》）；

(30)《核电厂防火准则》EJ/T 1082—2005；

(31)《核电厂厂址选择基本程序》NB 20293—2014；

(32)《海港总体设计规范》JTS 165—2013（以下简称《海规》）；

(33)《公路路基设计规范》JTG 30—2004；

(34)《公路路基施工技术规范》JTGF 10—2006；

(35)《河港工程总体设计规范》JTJ 212—2006(以下简称《河规》)；

(36)《铁路路基设计规范》TB 10001—2005；

(37)《地面气象观测规范》QX/T 45—2007；

(38)《核电厂初步可行性研究报告内容深度规定》NB/T 20033—2010；

(39)《核电厂可行性研究报告内容深度规定》NB/T 20034—2010；

(40)《法国 140 万千瓦压水堆核电厂系统设计和建造规则》RCC-P；

(41)《电力工程项目建设用地指标》(火电厂、核电厂、变电站和换流站)；

(42)《城市消防站建设标准》建标 152—2011。

2 术 语

2.0.1、2.0.10 摘自《核电厂厂址选择安全规定》HAF 101 及 HAD 101 导则系列(以下简称《规定》)名词解释。

2.0.2、2.0.3 在核电厂外由人工形成的搬运、加工、运输危险品如易燃、易爆、有腐蚀性、有毒以及放射性物质的设施一旦发生事故,可能对核电厂造成危害的因素。如采石场的飞射石块撞击核电厂,爆炸震动的塌方造成水源暂时堵塞或震动引起地面塌陷。又如海洋和内陆水路运输危险品发生事故如爆炸,这些危险品容器连同其装料和水中的碎屑有可能堵塞或破坏与最终热阱有关的冷却设施。因此这些人工形成的设施是对核电厂有影响的外部人为因素。

2.0.4、2.0.5 摘自现行国家标准《核电厂应急计划与准备准则第1部分:应急计划区的划分》GB/T 17680.1—2008。

2.0.6、2.0.7、2.0.11 摘自国家标准《环境规定》。

2.0.8 摘自《核设施实物保护》(试行)HAD 501/02。

2.0.9 摘自《国际原子能机构安全术语—2007》。

2.0.12 摘自《核事故辐射应急时对公众的干预原则和水平》HAD 002/03。

2.0.13~2.0.16 参照《核电厂设计安全规定》HAF 102、原《压水堆核电厂工程术语》EJ 310—88 和《RCC-P 法国 90 万千瓦压水堆核电厂系统设计和建造规则》(1991 第四版)有关术语定义的。

2.0.17 同 2.0.13,区别于核岛中的核辅助厂房,是除核岛以外的其他为处理、贮存放射性物质的车间、库房和贮罐如特种车库、放射性废液贮罐等的统称。

2.0.18 同 2.0.8,控制区范围一般为核电厂厂区周边的实体屏障至保护区实体屏障之间的区域。

2.0.19 同 2.0.8,保护区范围一般为保护区实体屏障至要害区的实体屏障之间的区域。

2.0.20 同 2.0.8,要害区范围一般包括反应堆厂房、重要厂用水泵房、核辅助厂房、主控室厂房、核燃料库房、应急柴油发电机房和保卫控制中心等要害部位所在的区域。要害区要设置实体屏障,该道实体屏障也可以是建筑物墙体。

3 厂址选择

3.1 一般规定

3.1.1 本条根据国家对核电项目建设实行核准制的要求,核电厂选址应符合国家积极发展核电的能源建设政策和国家核电中长期发展规划,按照国家核安全法规《规定》及 HAD 101 导则系列要求开展选址工作。核电厂选址涉及地震、地质、水文、气象、环境等厂址条件研究,研究核电厂址建设的安全可靠性、技术可行性、环境相容性、经济合理性等条件,并且考虑核电前期工作开发投资规模大、风险高、专业性强以及地方经济发展。因此,核电厂址选择必须遵循国家核安全法规、文件,按国家对核电建设前期工作的规定进行。

3.1.2 本条是根据国家核安全法规《规定》和《核电厂厂址查勘》HAD 101/07 对核电厂选址过程的阶段划分制定的,同时参考了《核电厂初步可行性研究报告内容深度规定》NB/T 20033—2010 和《核电厂可行性研究报告内容深度规定》NB/T 20034—2010 相关要求。

在厂址初步可行性研究阶段一般包括厂址普选、初步可行性研究工作,确定一个或若干个优先候选厂址。厂址选择应按照尽可能利用厂址多堆机组建设的原则,节省厂址开发成本,提出厂址规划装机容量。

在厂址可行性研究工作阶段应确定与厂址有关的设计基准(初步设计阶段确定厂址设计参数);该阶段应确定选用的核电机组类型,提出本期工程建设规模和建成期限,并针对厂址规划容量对建设顺序和一次连续建设或分期建设提出建议。在该阶段从核安全方面应研究影响厂址不可接受的因素,当这些引起不可接受的因素无法通过核设施设计、厂址保护措施或管理程序来进行补偿时,则必须认为厂址颠覆性因素,且该厂址是不适宜的。

3.1.3 核电厂的建设必须与当地的发展规划、土地利用、水域环境及社会环境相容,避开集中的饮用水源、省级以上的自然保护区及风景名胜区等环境敏感区。厂址位置应尽可能靠近用电负荷中心,减少电力输送成本;核电厂因装机容量较大,生产用水和施工用水量较大,应优先在水源充足地区选址;核电厂宜避免建于强烈地震区,以减少核电厂建造的投资。

3.1.4 本条根据《核电厂厂址查勘》HAD 101/07、《核电厂工程建设项目初步可行性研究内容深度规定》和《核电厂工程建设项目可行性研究内容深度规定》要求制定的。

3.1.5 本条根据《环境规定》中核电厂必须设置非居住区和规划限制区的要求,核电厂选址时应考虑该范围内的土地占用、人口搬迁以及厂址环境、交通、地方区域规划和经济发展等方面对厂址优劣条件综合评价的影响。

3.1.6 核电厂厂址选择时应考虑按照核电厂规划容量,合理规划厂址工程用地规模,各项用地面积应符合核电厂工程建设用地指标的相关要求。

核电厂建设用地面积,必须充分考虑,以满足总平面布置要求,避免因用地不足对总平面布置造成许多困难。其面积除了采用围海或开山形成一定数量的安全、可用面积以外,还需要有一定数量的既有面积。要避免建设用地完全依靠大量土石方工程形成的面积,这会大大增加基建投资,或许还会带来其他不利因素(例如开山后形成高边坡,对安全重要建筑物、构筑物将形成威胁)。

3.1.7 土地是国家重要财富之一,是农业的基础,而工业建设又必须征用土地,因此国家从开始就提出切实保护耕地,大力促进节约集约用地的方针、政策。核电厂建设除了厂区用地外,属于非居住区内的土地原则上可以不要征用,该范围内的土地按有关规定仍可利用,但是有局限性,即不得干扰核电厂的正常运行,因此在选址中应注意节约用地,尽量利用荒山劣地、海涂等(如滨海厂址,将大量多余挖方回填于滩涂,造就土地予以利用),以减少占用地的面积,同时尽量将反应堆厂房朝海一侧布置,以减少非居住区在陆地的部分。

3.1.8 厂址选择应避免和减少对地方交通和设施的影响,减少人口搬迁,节省厂址工程投资。同时选址应考虑以促进当地经济发展为主,将影响降到最低程度。

3.1.9 核电厂由于采用的机组不同,对厂址的地震和地质条件要求也不同。比如二代技术核电机组对厂址要求地震峰值加速度 SL-2 值在 0.20g 以内,核岛地基允许承载力应大于等于 0.50MPa,厂坪处的剪切波速大于 700m/s,宜采用天然岩石地基;AP1000 三代核电机组对厂址要求地震峰值加速度 SL-2 值在 0.30g 以内,核岛地基允许承载力应大于等于 0.426MPa,厂坪处的剪切波速为 305m/s,地基也可采用土基地基。因此,选址时应考虑厂址场地满足堆型对地基承载力的要求,并应尽可能岩性均质、稳定,避免地基不均匀沉降。

3.1.10 本条依据《滨河核电厂厂址设计基准洪水的确定》HAD 101/08 和《滨海核电厂厂址设计基准洪水的确定》HAD 101/09 确定。

3.1.12 根据 2005 年 12 月 3 日国发〔2005〕39 号《国务院关于落实科学发展观加强环境保护的决定》、《中华人民共和国环境保护法》第六条"一切单位和个人都有保护环境的义务"。《规定》和《环境规定》要求核电厂选址时应研究厂址气象条件,分析评价核电厂大气扩散条件和事故工况场外应急对厂址所在区域的影响。因此,选址应考虑与附近城镇或居民区的风向关系,最大程度地减少核电厂对厂址周围居民的辐射水平和环境污染。

3.1.13 在核电厂建设期间,除有大宗运输量以外,还有超重、超大的设备需要运输。在核电厂运行期间,每年还有乏燃料运出,乏燃料运输容器重量超过 100t,有专设的运输车辆,对运输线路要求有较高的技术条件。因此,厂址的运输条件是厂址适宜性的重要内容之一,必须予以重视。

3.1.14 厂址的地形,应有利于厂房布置、交通联系、场地排水,还应有利于气体扩散。如果厂地周围不开阔或起伏太多,都将影响放射性气体的扩散,并造成滞留现象等。

山区地形(如冲沟、排水地形)是多年自然现象形成,任意破坏,可能会遭致意外危险的后果,应尽量不予破坏。

3.1.15 本条为了减少地下室的防水措施和费用,对地下水流向的要求是,为了避免因事故使地下水受污染后对公众的影响。

3.1.16 核电厂的出线走廊和出线方向是根据电厂的规划容量、在系统中的作用及电厂同系统的连接方式、电压等级和回路数,以及厂区周围的自然条件和地区建设规划等因素决定的。因此,在厂址选择阶段应初步选择电力出线走廊、有无与其他电网的交叉和重要设施会受高电压的影响等问题。

3.1.17 分工协作和专业化生产是现代工业发展的必然趋势。加强相互协作,开展横向联合,发挥各自的技术优势,搞好专业化协作生产,是推进技术进步,提高产品质量,克服企业"大而全"、"小而全"弊端的有效途径。本条规定厂址应有利于同相邻近企业和依托城市在生产、修理、动力公用设施、交通运输、综合利用和生活设施等方面的协作。

3.1.18 增加对饮用水水源保护区和国家级的风景区及森林和自然保护区不宜选址条款。要求核电选址时应尽可能避开饮用水水源保护区、自然保护区、风景名胜区等环境敏感区。

3.2 核安全准则

3.2.1 本条是根据《中华人民共和国民用核设施安全监督管理条例》(国务院 1986 年 10 月 29 日发布)中关于"安全第一"的方针、"保障工作人员和群众的健康,保护环境,促进核能事业的顺利发展"和《规定》中引言、厂址选择准则中有关规定综合制定的。

3.2.2 本条是根据《环境规定》5.7节,并考虑了人口的分布,在电厂事故时采取应急措施有密切关系而制定的,并明确选址时应关注规划限制区 5km 范围内和厂址半径 10km 范围内乡镇、城镇集中居住人口数量。

3.2.3 核电厂严禁受洪水危害,否则其后果非常严重,不仅工厂不能运行,而且将危及公众安全。洪水的来源很多,本条是按照《规定》第 4.1、4.2、4.3 节内容制定的。

3.2.4 本条是根据《规定》第 4.4 节和《核电厂厂址选择中的地震问题》HAD 101/01 要求制定的。

3.2.5 本条是根据《规定》第 4.6 节制定的。

3.2.6 本条是根据《核电厂厂址查勘》HAD 101/07 附录Ⅱ的Ⅱ.3(1)制定的。

3.2.7 本条所指的地质灾害主要包括岩溶、滑坡和泥石流等。

3.2.8 本条是根据《核电厂厂址查勘》HAD 101/07 第 4.6 节能制定的。

3.2.9 大气弥散是由从烟囱出来的排出物抬升以后的随风运动和大气扩散在一起形成。烟羽抬升是烟囱排出物的速度、温度和周围大气的温度、垂直速度之差,使排出物向上抬升。大气扩散是依靠大气湍流,而大气湍流取决于风速和大气层垂直梯度或温度递减率。这些气象条件是大气弥散的重要因素。

3.2.10 提出本条的因素是它们可能危及核电厂厂址的安全,大型危险设施包括危险物品的生产工厂、贮存仓库、运送管线和使用部门。它们对核电厂造成的危险来自爆炸、着火、气体和尘埃云。爆炸产生冲击波、飞射物和地面震动,而且有地面塌陷和使地面滑移的可能。对运载危险物品的运输线路,对核电厂危险与来自上述设施相似。此外由海洋或内陆水路运输危险品可能出现很大的危险,因其容器、连同其装载物料和水中的碎屑有可能堵塞或破坏与最终热阱有关的冷却设施。而且有记载,大多数海上交通事故发生在沿海水域港口。因此要认真对待在这些设施附近的厂址。

对于厂址应远离大型机场是因为无论民用的还是军用的飞机坠毁概率,在机场附近通常最大。也有资料介绍,民用飞机坠毁的概率,在航线以外明显减少。

3.2.11 按照《核电厂营运单位的应急准备和应急响应》HAF 002/01 要求,在可行性研究阶段、设计阶段应考虑在核电厂事故状态下从厂区撤离不必要人员的应急防护,预先确定人员的撤离路线和撤离所需时间。为避免可能使人员在撤离途中通过烟羽区,使其受到照射剂量,要求厂址应有不同方向的两个对外联系的交通路线。

根据美国核管理委员会联邦应急管理署报告《制定和评价核动力厂辐射应急响应计划与准备的准则(NUREG-0654 FEMA-REP-1 Rev 1)和核事故应急计划纲要(1986 年 11 月 1 日～13 日修订,西班牙)等文件,推荐不同方向的两个对外联系的交通路线方向夹角不宜小于应急计划区三个子区的夹角即 67.5°;对于不同的核电厂址还需有关专业根据厂址所处地区的气象、人口、交通等情况计算确定。

3.2.12 本条是根据《规定》中总准则第 3.1.4 条制定的。

3.2.13 在选址阶段应考虑核电厂生产运行期间的新燃料、乏燃料及放射性废物的贮存和运输处置安全,合理选择厂址外部交通路线,以使核电厂的运输尽可能减少对社会交通的影响。

4 总 体 规 划

4.1 一 般 规 定

4.1.1 提出本条的目的是进行总体规划时应有的依据和要考虑的各项条件,并参照《电力工程项目建设用地指标(火电厂、核电厂、变电站和换流站)》中核电厂各项设施功能分区进行了归类统一。

核电厂的总体规划应在各设计阶段均要求进行工作,但其内容和深度要求不同。具体要求可参见核电厂初可研、可研、初步设计和施工图设计阶段内容、深度规定。

4.1.2 核电厂的总体规划应贯彻节约用地的原则,严格执行国家规定的土地使用审批程序,优先利用荒地、劣地及非耕地,尽量不占用基本农田"和"合理有效利用土地"。在设计中应优先选用先进的工艺方案和节地技术,减少厂区、厂外设施等项目的用地规模。分期建设的电厂应近远期统一规划,近期建设项目宜集中布置,远期建设项目预留在厂外,厂区用地宜采用分期、分批征用。

4.1.3 核电厂总体规划应符合下列要求:

1 核电厂用地面积,不仅要考虑本期建设需要用地面积,而且要把远期规划容量面积一并考虑,不应考虑远期容量引起相应配套设施需要增建或扩建的用地面积。

2 确定核岛及安全重要建筑物、构筑物位置和厂区范围是总体规划重要工作之一。总体规划应根据核电厂拟建机组对厂址地质条件的要求,在厂址范围选择核岛及安全重要建筑物、构筑物位置,应尽可能布置在满足其地基要求的、均匀、稳定的天然岩石地基上。对于汽轮机厂房、冷却塔等大型重要建筑物、构筑物,其位置的地基条件也应尽可能选择在地质均匀、稳定的天然地基,以降低地基处理费用。

3 总体规划应满足核电厂工艺流程要求,按照各项功能要求合理分区,力求管道、物流合理、短捷。总体规划既要满足后期与前期的工艺、管道和运输要求,方便后期建设,又要考虑尽可能减少后期施工对前期运行生产的影响,避免施工交通穿越运行电厂、占用运行电厂场地等。同时应对近期建设项目建设程序,作出全面安排,要近期、远期相结合,避免重复建设,又以近期为主,远期为辅,要防止远期项目不合理地提前在近期建设。

4　本款是为了节约用地,例如愈靠近海边、河边、山边,非居住区落在海上、河上、山上的面积愈多,则相应的陆地面积愈少。同样,核电厂如果有二个堆、三个堆、四个堆,缩小反应堆之间的距离,相应就减少了非居住区的面积。

5　核电厂厂内、厂外各项辅助、附属设施应按照规划容量统一规划、分期实施,并应尽量相对集中,厂外设施应尽可能靠近厂区,方便公用设施的接入和生产人员的管理。

6　核电厂防洪应满足确定的厂址设计基准洪水要求,并根据不同设施的核安全等级确定不同的防洪设计基准。厂区内防洪一般通过厂区雨水管道排除,对于厂外雨水和海水对厂区安全的威胁,应按照防洪基准要求,合理规划和设置堤坝和防、排洪设施。

7　应考虑利用厂址自然条件:场地平整采用台阶布置减少土石方量、调高场平标高满足厂区防洪要求、降低场平减少取水高度和常年运行费用、合理布置厂房减少地基处理费用,以及合理计算非居住区范围和厂区征地范围等,从而减少工程量和建设投资。

8　对于核电厂对外交通规划,应根据当地交通运输状况,合理选择运输方式和运输路线,确定顺捷合理的核电厂对外交通道路,以保证施工和运行期间的运输要求;尤其应保证在事故应急情况下,厂内、外交通运输畅通的需要。

9　把生活区布置在常年最小风频的下风侧,核电厂布置在上风侧,是为了减少放射性物质对生活区的影响。

10　核电厂总体规划应满足厂址附近城镇规划要求,电厂非居住区范围的划定应考虑厂址气象、环境、地形等条件,尽可能减少征地和当地居民的搬迁数量。

4.1.4 本条的目的是如果没有考虑这些因素,一旦出现水源取水量与水质有变化,不能满足生产、生活用水要求,必须放弃原取水水源另觅新水源,这就会影响原总体规划。例如某核电厂第一次的水源地,因为当地洗麻季节的水质不符合生产、生活水质要求而另选水源地,由此影响了原总体规划。

4.1.5 由于排放的冷却水提高了排出口附近水体温度,如果没有一定距离水流的扩散与混合,使其降低到水体温度,而又被吸取作为冷却水,将影响机组的设计参数。而且进入水体的冷却水,一般还混有低放射性废水,需要用距离来进一步稀释。究竟需多大距离来达到上述要求,必须进行温排水和稀释的模型试验来确定。

4.1.6 本条是依据《火电总规》中4.2.5条制定的。

4.2 防 护 距 离

4.2.1、4.2.2 是依据《核电厂应急计划与准备准则 第一部分:应急计划区的划分》GB/T 17680.1—2008 的要求制定的。具体环境特征包括地形、行政区划边界、人口分布、交通和通信等。

4.2.3 本条是根据《环境规定》的要求制定的。

4.2.4 核电厂可能涉及辐射或放射性物质照射的各种活动,必须符合现行国家标准《电离辐射防护与辐射源安全基本标准》GB 18871 的规定。该标准适用于实践和干预中人员所受电离辐射照射的防护和实践中源的安全。本标准的实践包括:

(1)源的生产和辐射或放射性物质在医学、工业、农业或教学与科研中的应用,包括与涉及或能涉及辐射或放射性物质照射的应用有关的各种活动。

(2)核能的产生、包括核燃料循环中涉及或可能涉及辐射或放射性物质照射的各种活动。

4.2.5 本条依据《火力发电厂总图运输设计技术规程》DL/T 5032—2005 中第 4.2.5 条和《110kV～750kV 架空输电线路设计

规范》GB 50545—2010 中第 3.0.2、3.0.4 条制定。重要设施一般指军事设施、大型工矿企业、机场、电台等,避开重要设施的目的是为了避免和尽量减少高压输电线路对这些设施和地方经济发展的影响,使高压输电线路与军事设施、地方发展和规划等相协调,以求和谐共存。

高压输电线路路径选择其他原则可参照《110kV～750kV 架空输电线路设计规范》的第 3 章(路径选择)中的规定执行。

4.3 交 通 运 输

4.3.1 本条规定了核电厂交通运输规划应遵循的原则和要求。核电厂交通运输的规划应满足生产、符合总体规划的要求,并应与当地交通运输现状和发展规划相协调。

核电厂交通运输的特点是:核电厂建设期间设备超重、超长、超宽的特殊大件运输,大量施工车辆和人员的运输;核电厂应急计划要求两个不同方向撤离通道的要求;核电厂职工居住地与电厂之间正常交通运输需求,同时应考虑核电厂交通运输的增加对所在地区的交通运输的影响。因此,核电厂交通运输规划只有与城镇和地区运输规划统一考虑,兼顾地方交通运输,充分发挥其社会效益,才能保证核电厂的施工建设和正常运行生产。

4.3.2 是为了公众安全和乏燃料运输的安全,以及尽量减少影响国家干线上的交通运输。例如秦山核电厂一期工程,为了不影响沪杭公路上繁忙的交通运输,从厂区到转运码头,拟另辟一条平行于沪杭公路的专用线。广东大亚湾核电厂乏燃料运输现采用公路运输,运输路线选用高速公路,避开穿越城镇和人口密集区,同时沿线经过时实施严格的保护措施,确保运输安全。

4.3.3 本条是根据《核动力厂营运单位的应急准备和应急响应》HAF 002/01 规定要求制定的。

4.3.4 为满足核电厂对外交通运输和应急计划的实施,核电厂建设专用公路:进厂道路和应急道路;进厂道路等级宜采用公路二级,应急道路等级宜采用公路三级。道路的建设应兼顾地方交通需求,路线的选线应尽可能工程量小,少占或不占农田,尽可能减少工程投资。

4.4 施 工 区

4.4.1、4.4.2 核电厂的建设工艺系统复杂,工程量大,一台机组施工周期一般需要 4 年~5 年时间,两台机组施工间隔 10 个月左右。施工现场参与的施工承包商有土建、安装等 3 个~4 个单位,根据项目建设方式不同甚至施工承包商会更多。因此占用的施工用地较大、占用的时间较长。

施工区按照施工作业现场和施工生产加工分为施工临建区和现场施工区。

施工临建场地内一般布置:混凝土搅拌厂、钢筋加工厂、木材加工厂、管道加工厂、模块拼装场地、运输设备和施工机械停放场、修理设施和库房等施工临时建筑,用地面积一般为 $35 \times 10^4 \sim 50 \times 10^4$。在总体规划中,必须同时规划,并应位于布置在厂区扩建端,尽量靠近施工场地且对外交通运输方便的地段,但不应妨碍核电厂的扩建。施工临时建筑物均不可按永久设施建设,以免造成投资浪费。

施工场地一般系指施工作业时所需的用地,或施工中所需要的材料及构件等的临时堆放场地等,宜利用厂区空隙地、未施工厂房用地、堆场用地,利用预留发展用地滚动使用,以节约用地,减少施工设施的反复搬迁,避免增加不必要的搬运工作量。

4.4.3、4.4.4 由于核电单台机组建设周期一般 5 年左右,因此施工承包商的生活临建区建筑相对为半永久性。在生活临建选址时宜靠近厂址,交通距离短,方便施工人员上下班。也可结合厂址附近县、乡镇建设,生活配套相对较为完善,方便施工人员生活。

4.4.5 本条是节省费用措施之一,也是多年的实践经验,如果道路位置选择合适,还可成为第二个对外联系的道路。例如秦山核电厂二期工程中,从施工生产基地通向厂区的施工通路,被核电厂作为将来第二个通向厂外的道路,就是一个很好的例子。

5 总平面布置

5.1 一 般 规 定

5.1.1 核电厂总平面布置,应在总体规划基础上进行,因为它是总体规划中的组成部分。

核电厂与常规火电厂不同之处,主要在于它具有放射性和没有大量的燃料运输。它要求整个核电厂运行寿期内,必须保证核设施的安全和不过量地释放放射性;要减小放射性影响环境的条件;要考虑一旦发生放射性事故,在总图布置上具有采取应急措施的条件。因此在核电厂总图布置时,应根据这个特点与要求和常规火电厂在生产、安全、防火、卫生、施工等要求,结合地形、地质、气象、内外部运输条件进行,并做出多个方案和技术经济比较,以达到用最小的工程费用,合理的技术措施,满足上述要求。

5.1.2 依据多年核电厂设计经验提出的。首先以最少的投资,最快的建设速度,形成生产能力,发挥投资效益。但如果后期工程中某些项目与先期工程有较多联系,则在布置中要给以合适的位置。

5.1.3 依据多年建设经验提出的。不要把后期项目主要生产设施穿插在先期工程中,这样可以避免因施工影响先期工程的正常运行,也可避免因后期工程的变化如机组型式、规模的变化,对原预留场地的面积、外形不符合要求给设计带来的困难。后期项目辅助生产设施可按厂房土建一次建成、设备预留,或厂房附近预留扩建场地,或集中布置在扩建预留用地内等方式。

5.1.4 总平面布置时对各建筑物、构筑物按其功能分区,其作用是明确的,但并不是很严格,要避免生搬硬套,造成不利于为主厂房服务的现象和增加工程建设费用。将有放射性作业的建筑物、构筑物如辅助核设施集中布置在一个区,不仅有利于互相联系,减少工程费用,更大的作用是达到尽量缩小放射性可能污染环境的范围。

5.1.5 辅助设施区、生产管理设施按功能联合或成组布置,便于使用、有利于生产管理,也可以节约建设用地和缩短工程管线。

5.1.6 在山区或丘陵地区,建筑物、构筑物的布置宜顺着等高线,这是多年建设的经验。对布置的坡脚的建筑物、构筑物、要注意边坡的稳定性和可能发生的危害,特别是切坡形成的高边坡,对附近安全重要建筑物、构筑物必须引起高度重视,必须进行详细的地质勘察工作与计算,证明其不会危及核安全有关设施,否则不能将建筑物、构筑物布置在边坡可能影响的范围内。

5.1.8 在核电厂内并非均可能绿化,首先要保证核电厂的运行安全,减少可能事故状态下的废物量;据国内外经验,在核岛周围未见绿化,但绿化对环境、对工作人员、对生态平衡是必需的,为此在总平面布置时要留出绿化用地,为核电厂的绿化创造条件。

5.1.9 本条是根据《核电厂设计安全规定》HAF 102 第 3.16 节,《核设施实物保护》(试行)HAD 501/02 第 4.2 和 5.2 节要求制定的。

5.1.10 本条是核电厂事故应急的需要,是根据《火电设规》第4.3.2 条的规定制定的。

5.1.13 核电厂建筑物、构筑物按安全重要建筑物、构筑物和非安全重要建筑物、构筑物划分为两类,火灾危险性及其最低耐火等级应按安全重要物项和非安全重要物项分别确定。核岛等安全重要建筑物、构筑物的火灾危险性和耐火等级是采用各组成部分的火灾荷载密度和耐火极限表示的,不同堆型的火灾荷载密度和耐火极限有所不同,应根据现行国家标准《核电厂防火设计规范》GB/T 22158—2008 确定。

5.1.14 本条主要根据现行国家标准《建筑设计防火规范》GB 50016—2014 和《火力发电厂与变电站设计防火规范》GB 50229—2006 中的建筑物、构筑物的火灾危险性及其最低耐火等级的有关内容做出了规定。

5.1.15 本条主要根据国家现行标准《建筑设计防火规范》GB 50016—2014、《火电总规》第 5.7.2 条、《核电厂防火准则》EJ/T 1082—2005 第 5.4.2 的规定,结合国内已建和在建核电厂工程经验制定的。

(1)核电厂建筑物、构筑物耐火等级一般均不低于三级,因此在表 5.1.15 没有列出四级建筑物、构筑物的间距。

(2)汽轮发电机厂房为高层厂房(高度超过 24m,层数大于或等于两层的厂房、库房)。参照现行国家标准《建筑设计防火规范》GB 50016—2014 确定其与其他建筑物、构筑物的防火间距。

(3)考虑到制氢站(库)、化学试剂库的火灾危险性较大,故规定与核岛等安全重要建筑物、构筑物的防火间距为 25m。安全重要建筑物、构筑物不同堆型有所不同,一般包括核岛、重要厂用水泵房(含重要厂用水泵房的冷却水泵房)等。

(4)屋外配电装置按明火或发散火花的地点考虑其间距。

(5)考虑到消防、实物保护、采光和通风等方面要求,参照《核动力厂实物保护导则》HAD 501/02 的有关规定,建筑物与围墙之间的距离定为 6m;其中保护区内的建筑物自身可构成要害区屏障,也可与邻近的围栏相衔接,共同组成要害区屏障。

(6)道路与相邻建筑物、构筑物的间距参照《厂道规》制定。

(7)制氢站(库)与建筑物之间的距离按贮氢罐总贮量小于或等于 1000m³ 考虑。总贮量等于贮罐的总水容积(m³)与工作压力(绝对压力 MPa)的乘积。

(8)化学试剂库主要贮存油漆、醇酸和稀释剂、水漆等,化学试剂库与其他建筑物的间距是按如下库容确定的:当贮存油漆等时,其总贮量不大于 10t。

(9)核电厂的行政生活服务建筑系指生产与行政办公楼、餐厅和档案馆等建筑物。

(10)冷却塔与汽轮发电机厂房之间的间距不宜小于 50m,当在改、扩建厂及场地困难时可适当缩减。考虑到核岛的重要性，冷却塔与核岛之间的净距小于 $1.0H$（H 为冷却塔高度）时，应进行倒塔影响的论证。

（11）核岛间距指反应堆厂房中心间距，双堆或多堆机型核岛间距由工艺布置要求确定，单堆机型核岛间距应考虑防火、管线布置、施工运输和大件设备与大型模块吊装的要求，分期建设时还应考虑临时实体保护的要求。目前国内核电厂核岛间距最小的为田湾核电厂 1、2 号机组 190m，其他核电厂核岛间距均大于等于 210m。

5.1.16 本条是根据《电力工程项目建设用地指标（火电厂、核电厂、变电站和换流站）》中有关规定制定的。

5.1.17 双堆机组为核岛由二台机组的反应堆厂房成组、核辅助厂房共用组成，二台机组布置布置间距一般为 80m～90m。单堆机组为一台机组反应堆厂房及核辅助厂房独立成组布置，二台机组布置布置间距一般为 190m～230m。另外核电厂需设置实物保护系统，造成核电厂较一般工业项目厂区建筑系数小，本条目推荐值，是通过对国内已建和在建核电厂建筑系数进行统计后确定的。

5.2　主要生产设施布置

5.2.2 核电厂由于采用的机组不同，核岛标准设计对厂址的地震峰值加速度 SL-2 值、地基允许承载力等地基岩土参数的要求也不甚相同。因此，核岛设计必须考虑因厂址地基参数与参考电站不同而引起的设计变化，同时因核岛对地基不均匀沉降的要求，对地基的稳定、均匀也有较高的限定。

5.2.4 本条是根据《法国 140 万千万压水堆核电厂系统设计和建造规则》RCC-P 的 1.1.3.2 和《火电总规》第 5.2.1 条中有关规定制定的。

5.2.5 多台机组平行布置时，反应堆厂房与邻近机组的汽轮发电机厂房呈切向布置，这使关键靶物（如控制室）处在汽机转子碎片形成的飞射物 25°射角的范围内,根据《核电厂内部飞射物及其二次效应的防护》HAD 102/04 第 5.2.3 条,为了减少撞击力,需要加大两个核电机组之间间距或采用工程措施,否则是不安全的。

5.2.6 本条是参照《火电总规》第 5.2.6 条中有关条款制定的。

5.2.7 本条是参照《火电总规》第 5.2.5 条中有关条款制定的。

5.2.8 本条是参照《火电总规》第 5.2.7 条中有关条款制定的。

5.3 辅助生产设施布置

5.3.1 放射性厂房包括如放射性废物处理厂房、放射性机修和去污车间、放射性固体废物暂存库、核岛、常规岛废液排放厂房、运送放射性物料的特种汽车库、洗衣房和厂区实验楼等。放射性厂房区设单独出入口,其目的是运输放射性物料的车辆可以直接驶往厂外道路,不绕道厂区其他道路再出厂,以减少对厂区的影响。

5.3.2 各厂房放射性物料的运输出入口,宜面向指定运输放射性物料的道路,其目的是尽可能减少厂区运输放射性物料道路的设置。

5.3.3 本条是根据《火电总规》第 5.2.1 条有关条款及以往经验制定的。联合泵房的重要厂用水泵房为安全重要建筑物、构筑物,应按要害区设防。

5.3.4 本条是根据《火电总规》第 5.2.5 条、第 5.2.21 条有关条款制定的。

5.3.6 本条是根据《火电总规》第 5.2.22 条有关部分制定的。

5.3.7 本条是根据《火电总规》第 5.2.23 条的规定制定的。

5.3.8 通常生活、生产和消防用水都在同一水处理站中处理,由于生活用水系饮用水,其处理站宜布置在厂区常年最小风频的下风侧,尽可能减少厂区的环境影响,以保证水的质量。

5.3.14 本条是根据核安全导则《核设施实物保护》(试行)HAD 501/02 第 5.1.1 条规定制定。

5.5 其他设施布置

5.5.3 本条是根据中华人民共和国公安部国家原子能机构公通字〔1997〕17 号文制定的。

5.5.4 《城市消防站建设标准》建标 152—2011 中的第十条规定"城市规划区内消防站的布局,一般应以接到出动指令后 5min 内消防队可以到达辖区边缘为原则确认"。考虑到核电厂选址一般均距城市较远,且核电厂的安全极为重要,本条规定核电厂需设置单独的消防站。消防站建设标准根据电厂规模参考《城市消防站建设标准》建标 152—2011 确定。

5.5.5 本条是参考《城市消防站建设标准》建标 152—2011 有关条款确定。

5.5.6 本条是根据核安全导则《核动力厂营运单位的应急准备和应急响应》HAD 002/01 和《福岛核事故后核电厂改进行动通用技术要求(试行)》确定的。应急控制中心可参照《核电厂防洪能力改进技术要求》进行防水封堵。

5.5.7 本条文是根据《福岛核事故后核电厂改进行动通用技术要求(试行)》制定的。

5.5.8 本条文是根据《地面气象观测规范》QX/T 45 中相关条款确定的。

5.6 实物保护和出入口布置

5.6.1 本条是根据核安全导则《核设施实物保护》(试行)HAD 501/02 中相关条款确定的。实体屏障的一般要求:

1 控制区。

屏障垂直部分高度不低于 2.5m,可采用栅栏型或墙体型屏障。若采用墙体型屏障,墙体厚度不小于 240mm。

2 保护区。

(1)双层屏障的外层高度不低于 1.5m,内层垂直部分高度不低于 2.5m。

(2)双侧栅栏屏障之间形成隔离带,宽度不宜小于 6m。在隔离带内应地势平坦、防止积水,且不得堆放杂物,不得生长树木和杂草。

3 要害区。

(1)保护区内的建筑物自身可构成要害区的屏障,也可与邻近的栅栏或围墙相衔接,共同组成要害区屏障。

(2)构成要害区的屏障的建筑物必须六面坚固。它们的墙体、地板和顶板的延迟能力应不低于 20cm 厚的钢筋混凝土层。

(3)建筑物的窗口,应以钢筋格架保护。钢筋间隔不大于 15cm,直径不小于 1.6cm,且须牢固镶嵌在窗框两侧。

5.6.4 本条是根据核安全导则《核设施实物保护》(试行)HAD 501/02 第 5.3.1 条规定制定的。

5.6.5 本条是根据核安全导则《核设施实物保护》(试行)HAD 501/02 第 5.3.2 条规定制定的。

6 竖 向 布 置

6.1 一 般 规 定

6.1.1 厂区竖向布置与总平面布置关系密切,相辅助相成,必须统一考虑,才能相互协调,最大限度满足各自要求。在标高处理上,又要与区域总体规划、周围环境协调一致,以保证交通运输安全,地面排水顺畅。

厂址设有大件码头时,厂区竖向布置与其标高关系密切,应保证连接道路的纵坡满足设备运输的要求。

6.1.2 目的是提出竖向布置应满足有关方面的要求,否则延误施工周期,影响机组发电效率,增加发电成本,或受洪水威胁甚至造成放射性向环境超剂量扩散等严重后果。

近几年出现了较多填挖方相差较大、难以平衡的厂址,尤其是内陆厂址,场外弃土成为了一个突出的问题。

6.1.3 这是国内外建设经验与教训的总结,在核电厂的安全分析报告中要求对自然的排水地形拟进行任何改变的专题阐述。这些自然排水系统是常年累月形成的,一般只能利用而不轻易改变。如果必须改变,应对有关排水系统进行全面、充分的调查研究,选择宜于导流或拦截地段和有效措施。在国外核工业建设的规章中,也提出同样的要求。

6.1.4 原条文采用全厂统一的厂坪标高只在大亚湾核电厂、岭澳核电厂设计时采用了,主要是沿袭了法国的设计习惯,在此后的绝大部分国内核电厂设计中均未采用,因此不具有代表性,故取消了该条文。

国内目前尚未颁布核电厂防洪的专业规范,根据目前核电厂设计通常采用的标准要求,提出了核电厂建筑物、构筑物防洪标准:安全重要建筑物、构筑物采用设计基准洪水位;常规岛及其他建筑物、构筑物参照火电,取 100 年、200 年一遇高水(潮)位;考虑核电厂建设周期长,施工临时建筑物、构筑物取 20 年一遇高水(潮)位。这些也是多个核电厂的经验值。

注:风暴潮严重地区一般指广东、广西、福建、浙江、上海、江苏和海南等地的沿海地区,其中江苏省包括长江口至江阴的长江江段。

6.1.5 核电厂的设计基准洪水位的确定依据的规范是国家现行标准《滨河核电厂厂址设计基准洪水的确定》HAD 101/08 和《滨海核电厂厂址设计基准洪水的确定》HAD 101/09。

6.1.6 应进行抗震稳定性验算的边坡参照现行国家标准《核电厂抗震设计规范》GB 50267—1997 第 5.4.1 条及条文说明界定,是指安全建筑物、构筑物最外端与坡脚相距 50m 以内或与坡脚的距离在 1.4 倍边坡高度以内。

应进行抗震稳定性验算的挡土墙是指垂直高度大于 5m 且安全建筑物、构筑物最外端与挡墙的距离在 2 倍挡墙高度以内的挡土墙。这与原条文要求一致。

大于以上距离范围的边坡或挡土墙不必专门验算,但从地震地质角度考虑有危险影响的则应进行验算。

上述边坡包括人工边坡和自然边坡(山体)。

6.1.7 后期工程场地土石方开挖,系指现有机组的附近进行土石方开挖,由于土石方开挖、爆破所引起地面振动,将影响正在运行的组件、设备和仪表,导致误操作或失灵的可能。除非开挖与爆破是有计划、有控制地进行,且所引起的地面运动和振动,对组件、设备、仪表等都在设施设计参数范围以内,否则是不允许的。

6.2 设计标高的确定

6.2.1 这是根据《滨河核电厂厂址设计基准洪水的确定》HAD 101/08 第 10.1(1)(2)条和《滨海核电厂厂址基准洪水的确定》HAD 101/09 第 12.1(1)(2)条中要求制定的。增加了安全重要建筑物、构筑物的场地设计标高应考虑相应的波浪影响,与核安全相关的回填护坡和防浪堤应作为安全重要构筑物设计,厂址防洪应满足安全应急的要求。

6.2.2 本条是根据核电厂防洪设计的实际经验并参照《火电总规》制定的。

6.2.5 建筑物室内、外地坪高差,应符合下列规定:

1 0.15m~0.30m 是多年实践的参数,也是普遍采用的数值。如果高差太大,则车间大门外的坡道按常规坡度设置就很长,有些甚至与道路相交,这样就不符合道路的引道技术条件。否则坡道短了导致坡度大,也不符合引道技术条件。

3 提出的要求是为了防止这些液体的外流,对环境与安全造成危害。

6.3 阶梯式布置

6.3.1 山坡地区采用阶梯式布置是根据多年实践的经验提出的。《工企总规》第 7.3.1 条中提出:当场地自然坡度大于 4% 时,厂区竖向宜采用阶梯式布置;《火电总规》第 6.3.1 条中提出:场地自然地形坡度在 3% 及以上时,宜采用阶梯式布置。

关于"当采用直流冷却供水,场地标高与取水标高相差较大时,考虑电厂运行的经济性,宜将反应堆厂房与汽轮发电机厂房错层布置",如在山区建厂,提水高度较大,核岛与汽轮发电机厂房场地是削山形成,由于汽轮发电机厂房场地标高的安全标准低于核岛场地标高的标准,在核岛与汽轮发电机厂房之间蒸汽管道的连接等技术问题都可以解决的前提下,为了降低供水高度,节约运行费用,可以把汽轮发电机厂房布置在低于核岛且符合标准规定的另一个台阶。这在国内火电厂有此经验,国外核电厂如德国的奥布利希海姆、美国的比弗谷、法国的某些核电厂都是这样布置的。

6.3.5 自然边坡:适用于坡体稳定地段。

铺砌护坡:适用于降雨强度大,土壤易于风化、流失地段;自然悬崖、陡坡、侵蚀较严重需要防护的地段;填方边坡受水流冲刷的地段。

挡土墙:适用于工程地质及岩土条件不良或建筑物、构筑物密集和用地紧张的地段;易受水流冲刷而坍塌或滑动的边坡,且采用一般铺砌护坡不能满足防护要求的地段;采用高站台低货位方式进行装卸作业时。

6.3.9 本条基础底面外边缘线至坡顶水平距离公式是根据现行国家标准《建筑地基基础设计规范》GB 5007—2002 第 5.4.2 条确定。如建筑物基础设在填土上,基础对填土边坡影响较大,因此还应遵照《建筑地基基础设计规范》GB 5007—2002 第 6.3.2 条压实填土地基的要求确定边坡填土的密实度。

6.3.10 参照《火电总规》第 6.3.5 条增加台阶坡脚或挡土墙底部至建筑物、构筑物的距离不应小于 2m。

6.4 土(石)方工程

6.4.1 本条为土石方平衡的一般原则,参照《工企总规》引入了土壤松散系数表。

6.4.2 这是各行业场地平整设计的普遍做法。场地平整标高比场地设计标高低多少应考虑基槽开挖、余土和绿化覆土等因素综合确定。

6.4.3 土石方工程量的平衡因素中增加了开挖石料作为混凝土骨料的使用量、施工和海工用石料量、厂外土石方工程量。

6.4.4 关于大量挖方。核电厂的地下设施(如地下室、地下廊道等)多、规模大,因此土(石)方的余量多。如果全部在厂区内就地消化,达到填挖平衡,会带来其他问题,如建筑物、构筑物基础埋得太深而增加建设费用或回填场地的地基处理需要时间和费用等。根据以往反应堆工程的建设和近年几个核电厂建设经验,除了就地消化一部土(石)方外,其余挖方如条文所述,作其他用途。厂外设弃土(淤泥)场地或取土场,从环境保护、可持续发展的角度应考虑覆土还田。本条是根据上述情况制定的。

6.4.5 本条依据现行国家标准《土方与爆破工程施工及验收规范》GB 50201—2012、《建筑地基基础设计规范》GB 50007—2002和《建筑地基基础施工质量验收规范》GB 50202—2002 相关条文，以及工程实践制定。

6.4.6 本条表 6.4.6 是参照《钢铁总规》第 6.4.3 条规定制定的。核电厂场地填方、道路路基和铁路路基压实度一般应采用重型压实标准。

6.4.7 场地回填采用填石和土石混填，用压实度难以控制。本条是参照现行国家标准《公路路基设计规范》JTG 30—2004 第 3.8节和《公路路基施工技术规范》JTGF 10—2006 第 4.2.3、4.2.4 条制定的，提出了通过铺筑试验段确定合适填筑层厚、压实工艺以及质量控制标准。

    填石采用不同强度的石料回填试验段压实质量标准可采用表1 中孔隙率作为控制指标。

表 1　岩石孔隙率指标表

岩石类型	孔隙率(%)
硬质岩石	≤25
中硬岩石	≤24
软质岩石	≤22

6.5　场 地 排 水

6.5.1 本条是根据多年实际经验提出的。即使在山区的缓坡地区，有条件时工厂也愿意用管道排水。如某核基地三废区，原设计为明沟，投产后工厂改为暗管，理由是原明沟易堆积污物，清扫工作量大，又有碍厂容。核电厂是很清洁的工厂，为了减少污物沉积的环境，保持良好的厂容，为此提出厂区场地排水宜采用管道式排水。

6.5.2 场地整平坡度的目的是既要迅速排除地面水,又要防止地面的冲刷造成土的流失带来环境污染,堵塞管沟,有碍厂容等一系列问题。条文中坡度值是参照《钢铁总规》第6.5.2条和多年设计实践制定的。

6.5.3 参照《钢铁总规》第6.5.3条及多年设计实践制定。

6.5.4 这是多年设计中常用的参数。

6.5.5 本条参照《火电总规》第6.4.8条制定。

6.5.6 本条为道路雨水口布置要求。

1 为原规范条文。其他参照《火电总规》第6.4.2条和《工企总规》第7.4.6条制定。

7 管线综合布置

7.1 一般规定

7.1.1 核电厂管线种类繁多,管线性质、管内介质各异,它们都有各自的布置原则和要求,如果机械地予以汇总,必然会出现碰撞、重叠等不合相关规定、规范要求的情况,更会破坏总图布置时对它们位置的初步安排。因此,需要根据各种管线布置的技术条件,从总体布局上予以安排,采用合适的方式,进行合理、优化的布置,以满足消除碰撞、满足生产、符合安全、减少能耗、节约用地、方便施工检修及有利厂容等要求,从而达到管线综合布置的目的。本条根据以往核工业建设经验并吸收其他行业、国外核电厂建设经验,提出做好管线综合布置的一些规定和要求。

7.1.2 目前国内的核电厂规划容量多为 4 台～6 台百万机组,有的多达 8 台百万机组,这些机组一般以两台为一组进行建设,辅助生产设施一般为 4 台或全厂共用,因此管线综合布置时需要根据按规划容量及机组建设情况统筹考虑、避免相互影响。

    1 多台机组分期建设时,需要具有全局观念,通盘考虑厂区管线综合布置,做到近期管线布置紧凑合理的同时兼顾远期管线布置,以节约用地和减少近、远期管线的布置矛盾。

    2 多台机组分期建设时,近期管线难免要穿越远期工程用地,可结合远期的扩建要求综合考虑管线布置,穿越远期用地的管线不得影响远期工程的建筑物、构筑物、管线的布置和施工。

    3 地下综合廊道施工完毕,内部空间就固定下来,因此在综合廊道设计时,除了满足近期管线的布置空间要求,还要适当考虑预留一定的远期管线布置的空间。

    4 多台机组分期建设时,需要处理好近、远期管线的接口位置,尤其是跨越或穿越不同实物保护分区的管线,应将近、远期接口的位置设置在实物保护围栏外,并将围栏基础下面部分的管线与近期管线同步施工。在已运行的厂区内进行远期管线的施工,人员进出频繁,且人员较杂,不利于厂区的实物保护;施工时,要破坏原有的地坪、道路等原有设施,造成浪费,同时可能会破坏原有的管线,影响安全生产。因此,如果预留在厂区内的远期管线对近期工程的造价影响不大,且与近期管线同步施工时,可以更加节省建设费用和有利于厂区的实物保护和运行安全,宜将预留在近期厂区内的远期管线与近期管线同步建设。

7.1.3 管线敷设方式主要包括地下(直埋、套管、地沟、廊道)、地上(高架式、低架式、地面式及建筑物支撑式)两类。本条规定是多年来实践的总结,特别是对土地利用率日益提高的今天尤为重要。

1 埋地敷设是为了厂区接受放射性沉积物的面积尽可能的小的原则,也有利于厂容、实物防护、建设和检修期间的大件运输及施工机械布置。

2 共沟(地沟、廊道)敷设,除了节约用地,也可减少各种管线直埋的负挖工作量,减少对地面工程施工的影响和管线施工期间受雨雪天气的影响,有利于加快建设进度,缩短工程的建设周期,同时为投运后的管线提供了一个好的运营和检修环境;共架敷设,可以减少地上管线的占地面积,同时节省管架、基础的工程量。

管线共沟时需要考虑防火、防爆、辐射防护、实物防护、人员疏散、通风等要求,管线共架时需要考虑大件运输、设备安装及检修、实物防护、保温防冻等要求。

目前国内的核电厂除了封母、变压器消防管道、核岛与常规岛间的蒸汽管道、泵房的加药管、主开关站送出线路等少数管线为地上敷设方式外,大多数管线采用地下敷设方式,因此核电厂的地下管线布置非常复杂,负挖工作量大,施工工期长。根据相关资料统计,欧美的核电厂大多采用地下综合廊道,俄罗斯(前苏联)的核电厂大多采用架空综合管廊;目前国内火电也越来越多地采用架空综合管廊,石化等行业则一直采用架空综合管廊。

由于架空综合管廊与地下综合廊道相比具有负挖工作量小、施工工期短、施工方便、便于检修、节约能耗、综合造价低、对厂区其他设施的施工影响小、易于敷设易燃易爆介质管线等优点,因此除了具有核安全功能和工艺要求必需地下敷设的管线,建议在以后的核电厂建设过程中,可以根据核电厂的厂址条件,经技术、经济比较后,在 BOP、常规岛区试用架空综合管廊,逐步积累建设经验。

目前核电厂建设过程中对主变与主开关站之间的 500kV 线路的敷设方式问题,还有一定的争议,目前国内的核电厂多采用地下廊道,而国外的核电厂多采用架空线。采用地下廊道的优点是节约用地、场平土石方量小,缺点是负挖工作量大、造价高;采用架空线的优点是负挖工作量小、造价低,缺点是占地面积大、场平土石方量大。具体采用哪种方案,需要根据不同的厂址条件、总平面布置方案,进行技术经济比较,择优选用。

7.1.4 本条对管线综合布置提出了原则要求。

1 管线短捷、顺直可以节省管线投资;管线与建筑物、铁路、道路平行布置,方便管线定位、管线布置美观、节约用地;管线与道路、铁路正交可以将管线与道路、铁路的相互影响降至最低,交叉角不小于 45°,是为了尽量减少两者的相互影响。

2 为了减少管线与建筑物、构筑物的相互影响,正常情况下一般管线不宜穿越与管线没有使用联系的建筑物、构筑物,在布置紧张的情况下,穿越时要考虑管线上方的建筑物、构筑物荷载,采用加套管、保持合适的距离等对管线的保护措施;管线在建筑物、构筑物范围内采取不设置阀门、法兰,加厚壁厚等措施来保证建筑物的安全。有毒、可燃、易燃、易爆介质的管线,严禁穿越与其无关的建筑物、构筑物,是总结了实践中的教训,为了人身安全及防止扩大危害而制定的。

3 管线穿越、跨越不同的实物保护区布置时,需要根据实物保护的要求设置相应的实物保护措施,如加固、加盖、栓锁、栅网等。

　　4　相邻管线的阀门井、检查井相互交错布置时可以减少管线之间的间距,节约用地;在满足工艺布置、管线安全的条件下,相邻管线的管井合并可以节约建设费用,同时也可以减少管线间距、节约用地。

　　5　干管宜靠近主要用户或支管多的一侧是为了减少支管与道路的交叉、缩短支管的长度;干管分类布置在道路两侧,有利于设计、施工、检修及管理,减少不同种类管线间的交叉。

7.1.5　本条是根据《工企总规》及核电厂管线的特点制定的。进行管线综合布置时,需要解决各种各样的矛盾,矛盾的数量与性质随具体情况而异。管线综合布置是体现企业整体设计水平的重要内容之一,而解决好可能出现的矛盾又是管线综合布置的重要内容。条文中列出的是常见的主要矛盾及解决原则,按本条处理可以做到有利生产、方便施工、减少返工工程量、节省投资。本条是数十年管线综合设计及施工的经验总结,并被实践证明是较好的解决矛盾的方法。

　　放射性液体管线在定期维修时必须倒空管内残液,如果有弯曲或中途有低点则不易倒空,而这些低点容易沉积核素形成放射性积聚,增加放射性比活度。为此需在这些部位增设积水井、抽水设施等一系列带放射性的设施。放射性气体管线,因为有冷凝液,其要求与放射性液体管线相同。

　　核电厂由于施工准备期及施工期较长,用于施工的临时管线布置和施工要早于核电厂内的永久管线布置,如果临时管线影响了永久管线布置,应当避让永久管线的布置。

　　核安全管线是核电厂的重要管线,由于其功能重要、体量较大、计算复杂,因此一般的管线应尽量避让核安全管线。

7.2　地　下　管　线

7.2.1　本条是根据多年实践经验并参考其他行业总图运输设计

规范制定的。

1 是考虑维护建筑物、构筑物的基础安全,避免由于管线标高低于建筑物、构筑物基础,在管线施工时对建筑物、构筑物基础的影响或管沟开挖后因故中断施工,适逢下雨造成建筑物基础下地基坍塌而危及建筑物的安全。由浅到深的布置系指一般情况下,如情况特殊,又有具体措施,可不按此要求布置。

2 是参照《钢铁总规》第 7.2.13 条制定的。

3 是考虑给水管,特别是饮用水管与排水管(雨、污水)管、放射性液(气)体管、有毒液(气)体管进尽可能远而制定的。给水管与放射性液体管道平行布置时,给水管道标高应高于放射性液体管道的标高。

4 是根据《工企总规》第 8.2.3 条制定的。

5 是根据《化工总规》第 6.2.5 条制定的。

6 是根据《工企总规》第 8.2.1 条制定的。

7 北方各地区的冻土深度不一样,设计时一般按照当地最大冻土深度考虑,给、排水管线、燃气管线等一般都在冻土层以下,防止低温造成管内流体冻结;管道采取防冻、保温措施后可以解决管道的防冻问题,但会增加工程造价。另外,冻土层具有冻胀和融沉的特性,会对管线造成一定程度的破坏,这也是这些管线在一般情况下布置在冻土深度以下的一个重要原因。有些地区冻土层太深,管线只能布置在冻土层内,这时管道需要加上保温、防冻,采取防治冻胀和融沉的措施。

8 为了避免建筑物、构筑物与地下管线之间的相互影响,地下管线尽量不要布置在建筑物、构筑物的基础压力影响范围内,当受条件限制,地下管线必须布置在建筑物、构筑物的基础压力影响范围内时,应考虑管道的加固措施,并应考虑管线在施工和检修开挖时,对建筑物、构筑物基础的影响。

7.2.3 本条中表 7.2.3-1、表 7.2.3-2 系根据和参照《工企总规》第 8.2.10、8.2.11 条,《钢铁总规》第 7.2.4、7.2.5 条,《火电总规》

第7.2.9条、《化工总规》第7.2.7条等规范条文制定的。

7.2.4 本条是根据和参照《工企总规》第8.2.9条、《钢铁总规》第7.2.5条、《火电总规》第7.2.9条、《化工总规》第7.2.8条等规范条文制定的。

7.2.5 本条是根据《工企总规》第8.2.6条制定的。

7.2.6 本条是根据1988年法国电力公司编制的《安装规定汇编》DRI中Ⅰ-17《核电厂技术廊道》制定的。

7.2.7 本条是根据1988年法国电力公司编制的《安装规定汇编》DRI中Ⅰ-17《核电厂技术廊道》制定的。特别提出安全级廊道的地基要求,以减少安全级廊道的地基处理费用。

7.2.8 本条是根据核工程特点和多年设计与现场配合施工实践提出的。特别是由于核工程有许多很深的地下设施,浅的7m～8m,深的近20m,在施工开挖基坑时侧壁放坡,增加了地面开挖宽度,这些宽度在设施建成后回填,一些靠近地下设施的管线,如果在该宽度内,一旦回填土下沉,造成管线断裂,其后果是十分严重的。而管线的敷设又不能完全依赖于理论上的压实度,因此,在管线综合布置时要考虑此情况,必要时在进行技术经济比较后采取一些措施,如加大与建筑物、构筑物的净距,使管线座落在老土上;或建造支墩或栈桥将管线架起来等。

7.3 架 空 管 线

7.3.1 本条为架空管线布置的原则要求。

4 本条主要考虑核岛及安全重要建筑物、构筑物、放射性类厂房的安全要求,及仓库、屋顶为可燃材料的建筑物和火灾危险性为甲类的厂房、仓库,以及储存易燃、可燃液体和气体的储罐的危险性而制定的。对于永久性建筑物也要尽可能避免跨越,当必须跨越时,应满足其带电距离最小高度要求,建筑物屋顶应采取相关防护措施。

7.3.2 本条是参照《工企总规》第8.3.9条、《钢铁总规》第7.3.6

条制定的。

7.3.3 本条是参照《工企总规》第 8.3.10 条、《钢铁总规》第 7.3.8 条进行制定的。

7.3.4 本条内容系根据现行国家标准《110kV～750kV 架空输电线路设计规范》GB 50545—2010、《建筑设计防火规范》GB 50016—2014 中的相关内容,并结合核电厂的特点制定的。适用于厂区内施工/辅助电源从厂外引入架空电力线、主变与配电装置之间采用架空线、配电装置与厂外变电站之间采用架空电力线时,考虑架空线路与相邻设施间距要求。

7.3.5 本条内容系根据现行国家标准《110kV～750kV 架空输电线路设计规范》GB 50545—2010 中的相关内容,并结合核电厂的特点制定的。适用于厂区内施工/辅助电源从厂外引入架空电力线、主变与配电装置之间采用架空线、配电装置与厂外变电站之间采用架空电力线时,考虑架空线路与被跨越设施之间的垂直距离要求。

8 运 输

8.1 一 般 规 定

8.1.1 本条是提出运输设计的依据和考虑的内容以及要达到的目的。

地区交通运输现状和规划,将关系到核电厂对外运输方式、总体规划中运输线路布置和运输设施设置。要适应地方交通运输现状,尽可能符合其规划,为地方国民经济建设服务。例如某核电厂,根据对地方交通运输现状和规划的了解及核电厂物料运输特征的综合分析研究,确定运行后的主要物料——乏燃料(经核反应堆辐照后卸出且不再在该反应堆中使用的燃料)由海路运走,为此拟在厂区建设一座码头。但是乏燃料货包运输量很小,每年2000t左右,且每年只有数次,码头利用率低,而地区为了当地经济建设,规划在附近建一座码头。经过综合分析比较决定将工厂码头迁到厂外,在靠近核电厂一侧符合条件地段建一座综合性码头,虽然对工厂带来一些不便,但它将充分发挥作用,有利于整体的国民经济建设。

核电厂的物料运输量相对于燃煤电厂是非常小的,表2是2×600MW 核电厂运行期间的运输量,其中重要的物料是乏燃料和放射性固体废物,它们都有放射性。又如2×900MW 核电厂每年卸出乏燃料重70t,加上10个防护容器也只有1200t。固体放射性废物年运输量只有500t左右,但它们都必须放在一个很大、很重的运输防护容器内运送到乏燃料后处理工厂或国家的永久处置场。其次是基建期间大型、重型设备(见表3、表4)和大量的基建材料(约50万t),这些就是核电厂运输物料的特征。运输设计不能以运输量多少来考虑,而是以物料特征来设计。

表2 某 2×600MW 核电厂运输量(t/a)

对 外 运 输			
运 进		运 出	
物料名称	数量	物料名称	数量
新燃料棒	60	乏燃料(含容器)	900
乏燃料空容器	840	(水泥)固化块	510
(水泥)固化用材料	510	其他可塑性废物	70
其他物料	3240	其他非放射性物料	3160
共计	4650	共计	4640

表3 某 2×900MW 核电厂大件设备尺寸和重量(t/a)

部 件 名 称	重量(t)	外形尺寸(m)
压力容器	290	6.4×6.0×10.6
下部堆内构件	112	4.0×4.1×12.5
蒸气发生器	350	φ5.0×21.0
稳压器	90	3.2×4.0×13.0
湿气分离再热器	280	5.5×5.4×24.3
发电机定子	138	5.8×5.6×11.2
发电机转子	103	1.7×1.9×14.7
主变	260	5.2×5.2×7.5

表4 某 AP1000 核电厂大件设备尺寸和重量(t/a)

部 件 名 称	重量(t)	外形尺寸(m)
反应堆压力容器	296	6.52×6.39×12.2
蒸汽发生器	663.7	7×7×22.4
稳压器	111	2.3×2.3×15.42
环吊梁	147	31.5×3.1×6.6

部 件 名 称	重量(t)	外形尺寸(m)
主变压器	241.1	8×4.01×4.55
发电机定子	462	11.8×5.6×5.5
发电机转子	230	18.4×3.3×3
低压转子	220	12×6×6.3
MSR	290	$\phi 4.3×30.7$

核电厂厂内运输比较简单,运输量不大(见表2),主要是(水泥)固化用材料、检修时设备与材料和放射性固体废物等运输,虽然运输量不大,作为设计原则仍应该尽可能把人流和物流分开,减少交叉,特别是还有放射性物料的运输。对于放射性物料,其外包装表面放射性污染水平或辐射水平处理到允许离开放射性厂房入厂区道路的标准,但它还是潜在的污染源,因此在运输线路设计时,人流和一般货物的线路宜尽量分开或少交叉,以确保安全。

8.1.2 对外运输方式,应根据地区交通运输现状和发展规划以及自然条件,并根据国家的有关政策和运输物料特征、来源及去向等存在变化可能的因素,对各种运输方式进行安全、技术、经济综合比较后确定。通常有铁路运输、公路运输、水路运输,铁路、公路联运,水路、铁路联运,公路、水路、铁路联运等。如某核电厂背山面江,乏燃料最终由铁路送到后处理工厂,根据地区交通现状和规划附近没有铁路,经安全、技术、经济比较,不设铁路专用线,选定由公路运到最近路网车站,并在该站附近选址,建一个中转站,然后再由铁路运往后处理工厂。

核电厂施工及安装期间材料运输量大,超大件、超重、超限件多,正常运行期间主要以职工上下班的人流为主,新、乏燃料运量很少,按现有的铁路建筑限界,铁路运输往往又难以承担超大件、超重、超限件的运输,因此核电厂应立足于采用公路、水路的运输方式。

8.1.3 核电厂运输(特别是重、大件运输)要求较高,扩建核电厂的内、外的运输应充分利用老厂的设施,必要时进行合理改造,可避免重复建设,降低投资,提高已有设施的利用水平。

8.1.5 这一条是根据核电厂特点和实际生产情况提出的。

1 如果工厂经技术经济比较,决定引入铁路时,对有重大设备和乏燃料运出的厂房,应直接引入铁路、避免二次倒运,因为这些货物都属超重、超大物料,对它们的装卸需要有相应能力的设备和场地,如果二次倒运,需要为此增加费用,而且还增加不安全因素。

2 核电厂厂区内运输,根据物料数量、单件重量和外形尺寸宜选用汽车、电瓶车、叉车。当有水路运输时,从码头到厂房、仓库通常也是无轨运输,对大件物料如蒸发器,乏燃料可由汽车牵引多轴大平板车运输。

8.1.6 本条针对厂区放射性物质的运输应满足《放射性物质安全运输规程》GB 11806 的规定要求,并应考虑必要的防污染或应急措施。

8.2 中转站(中转码头)

8.2.1 核电厂的乏燃料在燃料水池贮存几年以后,放射性衰变到一定比活度,就可以运往乏燃料后处理工厂进行处理。目前我国后处理工厂在西北某地,是由铁路通往该厂,考虑到如果今后在其他地方建厂,可能是由公路或水路直通该厂,故本条泛指如果"不能直接由铁路专用线或公路或水路将燃料和建造期间的大件设备运送到厂区或将乏燃料运送到乏燃料后处理工厂"。就目前情况,如果核电厂没有连接铁路,势必由公路或水路将乏燃料先运到某个车站或铁路、水路联运码头再转运去后处理工厂。为了物料和公众的安全,并且避免与原有车站、码头的业务干扰,需要在车站或码头附近建立中转站或中转码头。如第 8.1.2 条条文说明中列举的某核电厂,又如沿海的某核电厂,是由海运到某地中转码头和中转站,然后由铁路运往后处理工厂。

8.2.2 为了与外界联系和管理人员生活需要,要求能就近引接通信、电力、给水、排水等线路。

8.2.3 由于中转站不是每天都有转运或停放车辆业务,特别是在雨季或台风季节,为了沿途运输安全,原则上不安排铁路运输与海上运输。这个标准相当于目前中、小型企业之间的防洪标准。洪水季节有预报,可以有计划地安排运输计划。

8.2.4 本条是为了避免无关人员接近货包和为了安全防范,宜独立成区,设置围墙,其他是为转运业务必需的设施。

8.2.5 本条是根据现行国家标准《Ⅲ、Ⅳ级铁路设计规范》GB 50012—2012 第 8.1.9 条制定的。

8.2.6 由于中转站运营业务量低,自备机车使用效率不高,故不设机车,由当地车站、邻近企业协作解决。

8.3 铁 路

8.3.1 在多种运输方式中,铁路运输具有运输量大、受自然环境影响小和相对安全可靠的特点,但也存在车辆运用不灵活、工程投资较大和制约总平面布置等问题。本条提出了核电厂选用铁路运输的几项条件。

    1 是否满足核电厂运输大件设备、大型模块、放射性废物和新、乏燃料要求,厂区总平面和竖向设计与铁路线路布置的相互适应程度,都是修建铁路的基本条件。

    2 核电厂铁路运输量不大,不用铁路运输也能满足生产。但如果其厂址靠近国家铁路网或其他单位专用线,接轨比较顺便、厂外线路短捷、车辆取送方便,且对接轨站(或点)引起的改扩建工程量不大时,利用这些有利条件修建铁路,投资不大、使用方便、设施简单是现实的、可行的。

    3 对核电厂放射性废物和新、乏燃料,采用铁路运输最为安全、准时,在设计中已明确上述重要物品为铁路运输,若改用其他方式不便衔接时,宜修建铁路,以满足对口运输要求。

8.3.2 本条是根据现行国家标准《Ⅲ、Ⅳ级铁路设计规范》第8.1.10 条和《钢铁总规》第 11.4.1 条制定的。

8.3.3 根据核电厂特征,运营期间运输量很小,即使基建期间一般年运输量也不超过 150 万 t,采用铁路Ⅳ级标准就能满足。

8.3.4 本条是根据《化工总规》第 9.2.3 条和《工轨规》第 7.1.3 条制定的。

8.3.5 本条是根据《工轨规》第 9.2.8 条有关规定和核工业厂内铁路运行实践制定的。

8.3.6 本条是根据《化工总规》第 9.2.18 条规定和电厂运行经验制定的。

8.3.7 本条是根据《工轨规》第 1.0.9 条制定的。

8.3.8 现行国家标准《放射性物质安全运输规程》GB 11806—2004 第 6.14.4.3 条 a)款"货包或外包装外表面上任一点的辐射水平应不超过 2mSv/h",c)款"在距由车辆外侧面延伸的铅直平面 2m 处的任一点的辐射水平,或者就敞式车辆而言,在距由车辆外缘延伸的铅直平面 2m 处的任一点的辐射水平,均不得超过 0.1mSv/h"。这样的辐射水平人可以接近,但不能太久。该规程 4.1.6 中规定:公众接受照射剂量每年不得超过 1mSv,即在上述货包前 2m 处累计逗留 10h 就达到全年剂量,为此在牵引机车与乏燃料货包车(重车)之间,应设置隔离车。

8.3.9 核电厂的货物(主要是乏燃料货包)列车以编组站为路网与电厂分界时,为避免因路网或其他单位机车进入厂区或保卫区带来一系列问题而提出的。

8.3.10 本条是根据《核设施实物保护》(试行)HAD 501/02 第 4.4 节相关规定制定的。

8.4 道　　路

8.4.1 核电厂厂外道路一般兼顾部分地方交通和大件设备运输,因此,其技术标准宜按照《公路工程技术标准》JTG B01 的有关规定执行;当仅为核电厂专用道路或线路技术条件受限时,应按照《厂道规》GBJ 22 确定。

8.4.2 本条是根据《厂道规》第 1.0.4 条制定的原则性条文。

8.4.3 主要进厂道路及次要进厂道路推荐采用的公路等级标准是根据我国已运行的核电厂厂外交通特性、交通量及满足应急疏散要求确定的。

为节约土地、降低投资，厂外大件运输应充分利用进厂道路；但各核电厂采用的机型不同，对道路的要求有较大差别，因此对大件运输道路的标准的确定应按运输条件分别对待。

8.4.4 本条规定是厂内道路布置应遵循的基本要求，目的在于合理利用场地，方便施工，改善环境，节省投资。

3 要求厂房之间物料运输所经过道路应顺直、短捷。

4 为了节约用地，并便于管线敷设及今后的检修。

5 根据现行国家标准《火力发电厂与变电站设计防火规范》GB 50229—2006 第 4.0.3 条"主厂房区、点火油罐区及贮煤场区周围应设置环形消防车道，其他重点防火区域周围宜设置消防车道"的规定，同时核电厂为施工安装大型设备，运行期间乏燃料运输，检修期间大设备的吊运等都必须设置环形道路。其他地区则根据物料运输需要，建筑物、构筑物性质，消防规范的要求，考虑运输道路、消防道路或消防通道。

6 由于放射性物料是潜在着危及人们安全的危险物料，因此要求尽量避免与一般物料和人流在同一道路上通行。如果做不到，则也允许混行，并非不准混行。

7 道路与道路雨水排水系统是厂区场地排水的主要途径之一，厂内道路布置应与竖向设计紧密结合。

8.4.5 本条是根据《厂道规》第 2.3.1 条和核电厂运输特征制定的。

(1)主干道为连接厂区主要出入口的道路，或交通运输繁忙的全厂性主要道路、乏燃料运输道路及大件设备运输的道路。

(2)次干道为连接厂区次要出入口的道路，或厂内车间、仓库、码头等之间运输较繁忙或有特殊需要的道路。

（3）支道为车辆和人行都较少的道路以及消防道路等。

（4）车间引道为车间、仓库等出入口与主、次干道或支道相连接的道路。

（5）人行道为行人通行的道路。

8.4.6 针对核电厂单机装机容量基本在 1000MW 及以上，核电机组的反应堆压力容器、蒸汽发生器、发电机定子等大件设备和 AP1000 机型的大型施工模块在运输时，对道路结构及道路下方的管涵都有较高的要求，道路的结构层厚度必须满足上述运输与装卸的车辆的要求。为了区分开一般性的运输道路，有针对性地进行道路结构设计，节省投资，将厂内道路按行驶车辆的不同，按结构形式划分为轻型路和重型路。

轻型路：为厂区生产运输、检修、消防服务的一般性道路。

重型路：重型路为厂区内供运输大型设备的道路。

8.4.7 以我国引进的 AP1000 机型为例，位于核岛放射性废物厂房外侧的重型道路联系结构模块拼装场、安全壳拼装场与各个核岛吊装场。该通道需考虑大型履带吊车不带载行走和定点吊装以及平板车运输安全壳、设备到吊装场地等多种情况对道路的荷载要求，大型履带吊车行走的路径范围宽度为 20.4m，同时需要考虑辅机行走的范围，宽度约 6m，平板车运输安全壳至吊装场地需要宽约 50m 的扫空宽度（安全壳直径 39.7m）。根据已有工程的相关资料，大型履带吊车不带载行走（转场行走）的接地比压约为 50MPa，大型履带吊车定点吊装的接地比压可达到 219MPa，空载行走时（带配重）接地比压为 103MPa。由于重型道路在路面宽度、建筑界限、结构厚度等方面有较高的设计要求，因此在进行厂区布置时应尽量短捷，节省用地和造价，同时可降低模块和安全壳运输与吊装的难度。

8.4.8 本条是根据《厂道规》第 2.3.2 条～第 2.3.5 条、第 2.3.7 条及核电厂运输特征制定的。

8.4.9 厂内道路路面结构类型应按使用要和路基、气象、材料等条件选定,类型不宜过多。

1 由于水泥混凝土路面刚性好,路面平整度受气温影响小,施工也简单,能较长期保持良好平整度,符合重型设备的运输要求。

2 在放射性检修车间、废物库附近、运载放射性物料车辆等地段,建议铺筑易于更换的路面材料,如沥青类路面,因为这些地段是潜在着受放射性污染的可能,一旦发现污染,比较容易挖掉(当作固体废物),重新铺筑。

3 电厂建设施工期间,材料、设备的运输车辆行驶频繁、荷载较大,大多通过设计的永久路线,但在此期间永久性道路因场地整拓和管线敷设的影响,尚未成形,即使铺筑完的路面也会被碾压破损变形。所以供施工期间行驶的永久性路段设计应采取分期实施和过渡的结构形式。

8.4.10 厂区内城市型或公路型选择主要是考虑雨水排放、行人安全、厂容整齐等要求。

8.4.11 本条规定厂区内消防车道的布置要求。

2 设置备用车道是为保证消防通道畅通,一旦主消防车道被堵时,可利用备用车道通行。所谓最长列车长度系指与消防车道平交的运行之最长列长度。

3 由于目前国内消防车辆的宽度均在 2.3m～2.5m 范围,故条文规定消防车道的宽度不应小于 4.0m。

8.4.12 近年来不少工业企业为疏散人流和为步行职工创造安全条件,减少步行时间和美化厂容,改变了过去用加宽路面的办法,而在连接厂区主要出入口的主干道两侧设置人行道解决行人交通问题,既提高道路利用率和保证行人安全,又节约工程投资。

1 人行道的设置,应根据干道交通量、人流密度、混合交通干扰情况及安全等因素确定。一个人行走所占宽度为:空手行走时约需 0.6m,单手携物约需 0.7m～0.8m,双手携物约需 1.0m,一般情况按 0.75m 计。人行道通过能力受人流量、人行道宽度、人群密度及人群速度决定。当人行道宽度为 0.75m 时,其通过能力为 600 人/h～1000 人/h。由于工业企业人流具有单向集中的特点，在上、下班高峰时间，主干道两侧人行道上人群密度大，步行速度低，为满足人流通畅，行走时干扰小，一般应按 2×0.75m 宽度考虑。

2 屋面排水方式直接影响人行道与建筑物之间距离的确定。当屋面为无组织排水时，人行道紧靠建筑物散水坡布置，行人势必受雨水溅射，故人行道与建筑物间最小净距以 1.5m 为宜。当屋面为有组织排水时，利用建筑物散水坡作为人行道时，需考虑以建筑物窗户开启不致妨碍通行来确定其距离。

8.4.13 厂区内道路交叉宜设计为正交。需斜交时，交叉角不宜小于 45°，这是考虑到交叉角的大小直接影响到工程投资、交通安全及通行能力。选用较大的角度，有利于运行和安全。

8.4.15 根据《厂道规》第 2.3.9 条并参照《工轨规》第 6.3.18 条制定。其中对厂内道路边缘至两侧建筑物与构筑物的最小距离的规定，表 8.4.15 中所列数值是根据《厂道规》并结合核电厂特点制定的；在工厂总平面布置中，距标准轨距铁路中心净距没有必要精确到厘米，并与第七章地下管线与铁路中心线水平净距 3.8m 一致（即性质相同），故也规定为 3.8m。

8.5　水　　路

8.5.1 根据我国核电厂建设经验确定，滨河厂址宜按 1000t 级建设专用码头，滨海厂址宜按 3000t 级建设专用码头。

8.5.3 根据《海规》第 3.2.7 条、第 3.2.8 条制定。

8.5.4 根据《海规》第 5.3.1 条制定。

8.5.5 根据《海规》第 5.3.2 条制定。

8.5.6 根据《海规》第 5.3.3 条及表 5.3.3 制定。

8.5.7 根据《河规》第 3.2.3 条制定。

8.5.8 根据《环境规定》第 5.6 条规定，核电厂设以反应堆中心半径 500m 的非居住区。该非居住区土地属核电厂管辖，如果码头在这范围内可以避免新征土地。

8.5.9 这里所指地形、地质是指沿岸线陆域和河、海底部分,水文是指水位变化、波浪、流速、流态等。由于核电厂水路运输的物料特点,即运输量小,但大部分为特大、特重物料,且在装卸过程中要求安全、迅速,即转运环节少,装卸作业、运输操作时间短,应优先采用直立式码头,或根据装卸工艺采用斜坡码头。

8.5.10 根据《海规》第 5.3.4 条和《河规》第 3.2.1 条规定制定。

8.5.11 码头的泊位长度是船舶安全靠离、安全作业必须的长度。海港码头泊位长度按有掩护和开敞式两类分别设计算,河港码头这里推荐的是直立式码头泊位长度,因为核电厂宜采用直立式码头。上述各类码头分别按《海规》第 5.4.18 条、第 5.4.19 条、第 5.4.20 条和《河规》第 3.3.1 条、第 3.3.2 条规定制定。

8.5.12 码头前沿水域的设计水深,海港与河港有不同计算方法。

1 海港码头前沿水域设计深度计算比较复杂,受风浪、船舶配载不均、回淤程度因素影响,故本条未予列出,需要时可查阅《海规》第 5.4.12 条。本条从满足码头选址和建设前期工作需要出发,采用比较简单的公式(根据《海规》第 5.4.12.3 条和公式 5.4.12-4)。

2 河港码头前沿水域设计水深,由于一般水流平缓、风浪小,船舶配载不均的影响不大,故设计水深仅考虑船舶满载时吃水加富裕深度,其值为 0.2m~0.5m,当船舶较大、河底为石质时取高值;反之,取低值。此值是根据《河规》第 3.4.4 条制定。

8.5.13 码头陆域作业区的布置,应根据码头型式、物料特征、装卸作业流程及其需要的作业场地、运输线路、建筑物、构筑物、临时堆场、管线等因素进行。这是因为不同的码头型式,所采用装卸、运输工具和装卸工艺流程及其需要的作业场地也不同,因而有不同的布置。本条的目的是要求码头陆域作业区的布置,达到装卸与运输畅通。

8.5.16 本节内容仅就核电厂专用码头水域与陆域设施设计中所涉及的主要问题作了原则性规定,设计时还必须执行现行的《海规》及《河规》的有关规定。

9 绿　化

9.1　一　般　规　定

9.1.1　随着经济建设的发展,工业企业日益扩大,如何处理好环境保护和工业建设之间的矛盾是当前工业发展的重要课题之一,而绿化就是保护环境、防止污染和维持自然生态平衡的一项重要措施,因此在企业的总平面设计中必须把绿化设计作为一个重要部分。同时绿化对改善环境、美化厂容、增加员工爱厂热情、坚持文明生产也起着重要作用。工厂绿化应根据自然条件(如气象、土质)和厂内各功能小区及其生产性质进行,绿化所需用地,应结合总平面布置、竖向布置、管线综合布置统一合理安排。

9.1.2　为了尽量不产生放射性废物,所以规定保护区不应绿化,主要是考虑由于大量枯枝残叶可能造成潜在的放射性废物给生产管理带来的困难。

9.1.3　虽然核电厂的大量绿化,有可能造成潜在的放射性废物,但正如本节第9.1.1条说明所阐述的绿化是维持生态平衡重要措施之一,厂区绿化是肯定的。国土资源部发布和实施的《工业项目建设用地控制指标》(国土资发〔2008〕24号)中规定工业企业绿化率不大于20％,核电厂可用于绿化的范围包括厂前建筑区,屋外配电装置区域,机、电、仪修和非放仓库区域等,通过统计国内已建和在建核电厂绿化数据,核电厂绿地率控制在5％～10％是适宜的。

9.2　绿　化　布　置

9.2.1　根据核电厂的具体情况,认为行政管理设施区即厂前建筑区和其他员工活动较多的室外场所如餐厅周围是重点绿化地段,因为：

(1)距主厂房群较远,绿化引起的潜在放射性废物的产生可能性较小。

(2)人员逗留机会多或是出入工厂必经之地,又是外来联系工作的第一入口,必须给人以厂容美观、环境优美的感觉,这样既能激发本厂员工爱厂热情也给外来人员第一个对工厂的良好印象。

其他对环境洁净要求高的或噪声大的车间、站房附近也可适当绿化,以创造空气洁净的环境和减低噪声强度的影响。

9.2.2 这是为了配合监测放射性剂量而培植的指示性植物。

9.2.3 本条是参照《火电总规》第9.2.3条的规定制定的。

9.2.4 为了安全,在道路交叉口、铁路道口的绿化布置,应满足《厂道规》和《工轨规》中对视距要求的规定。

9.2.5 为防止冷却塔四周地面尘土被吹入池内污染水质,冷却塔四周场地宜进行绿化,要求树木至进风口应有足够距离以免影响冷却效果。

9.2.6 本条是根据《核设施实物保护》(试行)HAD 501/02 第4.2.2条的要求制定的。

9.2.7 护坡在条件许可的情况下,宜采用植物防护方式,在挡土墙、护坡顶种植藤条植物悬垂于墙面,或在墙面上设小型花池能起到垂直绿化的效果。

9.2.8 本条是根据各国家现行的总图运输设计规范和现行的室外给水、排水、各种气体站房、电力、通信设计规范和《核设施实物保护》(试行)HAD 501/02 编制的。

9.3　树　种　选　择

9.3.1 在总结过去经验的基础上,归纳了核电厂绿化树种选择的四点要求：

1 所选树种应满足安全与卫生的基本要求。

2 为了不产生潜在放射性废物而确定以常绿树为主,为了有利植物生长而确定以当地乡土植物为主。

3 从生产特点和对环境造成的污染情况出发,尽可能提高植株的成活率,增强绿化效果。

4 要求易于繁殖、移植和管理,这样才能为扩大绿化面积,进而提高绿化覆盖面积创造条件。

9.3.2 厂前建筑区和和员工活动较多的室外场所是核电厂的重点绿化地段,绿化应以观赏树为基本树种,并以种植常绿树为主,冬季仍能保持绿色,同时还应处理好空间结构,以获得良好的绿化美化效果。

9.3.3 冷却塔四周空气湿度大,宜选择种植耐荫、耐湿的常绿树,宜种植灌木和地被类植物,以免降低冷却效果。

9.3.4 核电厂屋外配电装置内带电设备多,高压架空导线多,在此绿化应严格按照工艺要求,保持足够的带电距离。屋外配电装置内应以种植地被类植物为主,可种植少量灌木或花卉,定期进行修剪,使其控制在一定的高度范围内。

9.3.5 给水处理厂、试验室等对环境空气洁净度要求高,故不应种植散布花絮的树木,应以常绿乔、灌木为主。

9.3.6 非放射性仓库周围宜种植树干直、分叉点高、病虫害少的乔木和灌木,以改善库区环境和利于消防。化学试剂库周围,宜种植生长高度不超过0.15m、含水分多的常绿草皮,以改善仓储环境和利于消防。

10 主要技术经济指标

10.0.1 本条是总结过去经验和参照国家现行标准《核电厂可行性研究报告内容深度规定》NB/T 20034—2010 相关资料编制的。根据电厂建设多按分期建设的情况,应分别列出本期工程与规划容量时的技术经济指标,以利分析衡量总平面布置设计的经济性与合理性。

10.0.2 参照国家现行标准《核电厂可行性研究报告内容深度规定》NB/T 20034—2010 相关资料编制,可按照不同设计阶段深度要求按实际情况对表格中的项目进行取舍。

10.0.3 参照国家现行标准《核电厂可行性研究报告内容深度规定》NB/T 20034—2010 相关资料编制,可按照不同设计阶段深度要求按实际情况对表格中的项目进行取舍。

10.0.5 厂区用地面积应符合现行《电力工程建设项目用地指标(火电厂、核电厂、变电站和换流站)》的相关指标。

附录 A 挖、填方边坡坡度允许值

附录 A 中岩质挖方边坡和土质挖方边坡坡度允许值分别参照现行国家标准《建筑边坡工程技术规范》GB 50330—2013 第14.2.1 条和第 14.2.2 条。填方边坡的坡度允许值参照《建筑地基基础设计规范》GB 50007—2002 第 6.3.6 条。

工程不同,地质条件是有差别的。实践中,工程地质报告是设计的依据。附录 A 岩质挖方边坡、土质挖方边坡和填方边坡的坡度允许值只能作为工程前期阶段方案设计和技经工程量的参考依据。

附录 B 土壤松散系数

参照《工企总规》引入了土壤松散系数表。

统一书号: 1580242·625

定　价: 29.00 元

UDC

中华人民共和国国家标准

P

GB/T 50294－2014

核电厂总平面及运输设计规范

Design code for general plan and transportation
of nuclear power plants

2014－12－02 发布　　　　2015－08－01 实施

中华人民共和国住房和城乡建设部
中华人民共和国国家质量监督检验检疫总局　联合发布